영원토록 내 할 말, 예수

영원토록 내 할 말, 예수

2010년 7월 15일 초판 1쇄 발행

지은이 윤석전 | **펴낸이** 신영희 | **펴낸데** 연세말씀사

출판등록번호 2003.9.25. 제12-361호 | **주소** 서울시 구로구 궁동 189-1 2F

전화 02) 2680-0009(대표) | **팩스** 02) 2680-0124

메일 yonseibooks@yonsei.or.kr | **홈페이지** www.yonseibooks.com

편집장 장항진 | **편집기획** 오미정 | **교정·교열** 천현수

디자인 임진아

인쇄 (주)메카플러스 02) 2265-7767 | **총판** 누가 02)826-8802

ISBN 978-89-91327-32-0   03230

영원토록
내 할 말,
예수

연세말씀사

이 책은 하나님께서 성령의 감동으로 윤석전 목사를
복음 전하는 사역에 쓰셨기에 출간된 은혜의 선물입니다.
단 한 가지라도 사람의 의가 드러나지 않기를 바라며
오직 윤석전 목사를 쓰신 하나님께만 모든 감사와 영광을 돌립니다.
할렐루야!

예수의 목소리를 전하는 목회자

목사는 성도들에게 하고 싶은 말이 참 많지만 성도들에게 꼭 필요한 말만 해야 한다. 그들에게 희망과 용기를 주는 말, 신앙을 성장시키는 말, 그 영혼을 살리는 말을 해야 한다.

성도는 예수의 피로 값 주고 사신 주님의 양이기에 예수의 목소리를 들려주어야 한다. 그 목소리를 들어야 성도들은 살 수 있고, 그 소리를 들어야 만족해한다. 그래서 목사는 할 말이 많아도 예수만 말해야 하고, 주님이 하고 싶어하시는 말만 해야 한다. 예수만 말할 때 그 말에 생명이 있고, 예수만 말할 때 그 말에 권위가 있고, 예수만 말할 때 그 말에 하나님께서 책임을 지고 역사하시기 때문이다. 목회는 예수의 목소리를 성도들에게 전하는 일이다.

그동안 교회 신문 '영혼의 때를 위하여'의 목양일념 코너

Jesus, whom I will forever talk about
영원토록 내 할 말, 예수

를 통해 소개된 글들이 『성도의 눈물을 사랑한다』에 이어 또한 권의 칼럼집인 『영원토록 내 할 말, 예수』로 엮어졌다. 이 책의 출간과 함께 나는 다시 한번 성도들에게 주님의 목소리를 전하는 목사, 예수의 생명을 전하는 목사가 될 것을 다짐해 본다.

또한 항상 주님 앞에 지혜롭고 진실한 청지기가 되어 주님을 기쁘시게 하는 종, 오직 기도와 말씀 전하는 것에 전무하는 목양일념을 실천하는 주의 종이 되기를 바라면서 이 책이 나오기까지 역사하신 하나님께만 모든 영광을 돌리며 모든 독자들에게도 하나님의 은혜가 넘치기를 소망한다.

2010년 7월

윤 석 전 목사

Prologue
머리말

머리말 | Prologue · 6

Contents
차례

그렇다. 내가 행복한 이유는 나에게도
주님처럼 살 수 있도록 허락된 십자가가 있기 때문이다.
그것이 너무나 눈물겹도록 감사한 것이다.
주여, 나는 행복한 사람입니다.

Part I

행복한 사람

Jesus, whom I will forever talk about

봄이 오는 소리

우리 교회에 뺑 둘러있는 조경을 보니 꽃들이 막 피어오르려 한다. 여전히 영하의 꽃샘추위에도 피어야 할 꽃은 반드시 피는 것을 보니 참 성실하고 착실하다. 사람 같으면 바깥 날씨가 추워서 지금은 꽃을 못 피우겠다고 버틸 텐데 나무는 춥든 말든 세월에 따라 자신들의 할 바를 다하고 있는 것이다.

또 가만히 보니 꽃도 없는데 벌이 날아다닌다. 쫓아가 보니 아주 작은 나무에 꽃인지 무엇인지 잘 안 보일 정도로 작은 꽃이 있는데 거기에 앉아서 빨아먹고 있다. 벌은 꽃을 찾아 날아가기도 하지만 날아서 못 가는 곳은 기어서라도 꽃을 찾아간다. 이렇게 자기 사명을 감당하며 살려고 몸부림치고 있다.

비록 소리는 들리지 않지만 봄을 맞아 꽃도 별도 이 세상의 모든 만물이 분주하게 하나님의 질서에 순종하고 있는 것이다.

그 모습을 보면서 '너희들은 세월에 참 적응을 잘한다. 그런데 나는 여전히 적응이 안 되니 어떡하나. 너희들이 나보다 훨씬 낫구나'라는 깨달음과 함께 부끄러운 나를 발견하게 된다.

모든 만물 속에 하나님의 신성이 있고 하나님의 목소리가 있다고 하지 않았던가? 봄을 맞아 내 주위의 만물이 전하는 주님의 음성이 나를 자꾸 부끄럽게 한다. 언제쯤 나도 포도나무와 가지처럼 주님과 하나 되어 주님을 섬길 수 있을까?

봄은 나를 또 하나님 앞에 무릎 꿇게 만든다.

주여, 주님과 하나 되게 하소서!

하나님의 사랑은 항상 열려 있는 곳간과 같이 퍼 주기만 하는 사랑이다. 바울이 "우리가 이같이 너희를 사모하여 하나님의 복음으로만 아니라 우리 목숨까지 너희에게 주기를 즐겨함은 너희가 우리의 사랑하는 자 됨이니라"(살전 2:8)라고 말한 것은 사랑하기 때문에 사모한다는 것이다.

목사와 성도, 성도와 성도가 서로 사모하며 만날 때마다 기쁨이 가득한 것도 바로 그 사랑 때문이다. 바울은 자기 목숨이라는 수레에 하나님의 사랑을 싣고, 하나님의 사랑을 자기의 목숨보다 크게 여기고, 그 사랑으로 구원받는 사람들을 바라보면서 기뻐한 것이다.

하나님께서는 사랑으로 아들을 내놓으셨고, 아

들도 사랑 때문에 죽으셨으며, 제자들도 그 사랑 때문에 순교하였다.

하나님께서는 요단강에서 침례를 받으시고 물에서 올라오시는 예수를 "내 사랑하는 아들이요, 내 기뻐하는 자"라고 말씀하셨다. 죄인 된 인간을 위해 대신 고통당하고 죽으러 오신 하나님의 아들을 바라보며 '기뻐하는 자'라고 말씀하실 수 있었던 것은 바로 아들의 고통과 죽음보다 인류의 죄가 해결되고 구원받는 모습을 미리 바라보셨기 때문이다. 인간의 지혜로는 이해하지 못할 하나님의 놀라운 사랑이다.

한 영혼이 새롭게 변화되는 것을 최고의 기쁨으로 여길 수 있는 하나님 사랑의 수레가 되는 것, 이보다 더 큰 영광이 어디 있겠는가?

깊이 있는 기도

나는 어렸을 때부터 기도를 열심히 했지만 기도의 깊은 맛을 제대로 알지는 못했던 것 같다. 부르짖어 기도하고 성령이 충만하면 기쁘고 좋았고, 기도하면 믿음이 생기고 응답이 오는 것이 그냥 좋았다.

그런데 그 수준을 넘어서 더 깊이 기도에 몰입하면 할수록 하나님 앞에 내가 적나라하게 드러나면서 '큰일 났구나. 이 모습 이대로 주님 앞에 어떻게 설까' 하고 더 깊이, 더 철저하게 나를 볼 수 있게 되었다.

깊은 기도 속에서 발견된 하나님 앞에서의 추한 나의 모습 때문에 날마다 주님 뜻대로 살지 못한 것이 그렇게 아쉬울 수가 없다. 그 안타까움과 아쉬움 때문에 나는 항상 더 조심하게 되고 죄를 경

Jesus, whom I will forever talk about

영원토록 내 할 말, 예수

16

계하게 된다.

이때부터 내 앞에 놓인 일들에 대한 분별력이 생기게 되었다. 영적 분별력은 이렇게 깊은 기도 속에서 자신을 발견하는 것에서 시작되는 것이며, 깊은 기도는 나를 찾으려는 철저한 몸부림에서 시작되어야 한다는 것을 체험하게 된 것이다.

기도가 깊어지면 깊어질수록 나의 부족함이 더 많이 드러나니 기도는 주님 앞에 나를 더욱 낮아지게 만드는 겸손의 도구요, 그것이 곧 주님이 가신 길을 함께 가는 방법이다.

주여, 더 깊은 기도를 하게 하소서. 더 깊이 나를 보게 하소서!

순종의 절정

목사인 나는 한계에 부딪힐 때마다 **예수님의 겟** 세마네 동산의 기도를 생각한다.

사랑하는 아들을 죽여야만 하는 아버지의 뜻과 그 앞에서 죽음으로 순종해야만 하는 아들의 번민과 고통의 절정 속에서 예수님은 무릎을 꿇으셨다. 땀방울이 핏방울이 되도록 절규의 기도를 하셨다.

밀려오는 고독과 죽음에 대한 공포와 두려움 때문이었을까. 그것 때문만은 아니다. 예수님은 사랑하는 아버지 앞에서 절대 피할 수 없는 사명을 기도로 극복해 보겠다는, 그 일을 감당해 보겠다는 비장의 결심과 각오의 기도를 하신 것이다. 그를 따르던 제자들도 모두 잠들어 있었고, 자신의 아버지조차 침묵하는 그 절망적인 상황에서 예수님은

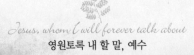

기도로 순종의 절정의 순간을 통과하신 것이다.

교회 개척 후부터 지금까지 인간적으로 볼 때 도저히 불가능한 일들을 우리 교회가 감당할 수 있었던 것은 주님이 무슨 요구를 하실지라도 그것이 하나님의 뜻이라면 우리 힘으로는 할 수 없지만 그것을 시행할 수 있는 능력을 달라고, 바로 겟세마네 동산의 예수님처럼 기도했기 때문이다.

모든 성도들이 하나가 되어 주님의 요구를 들어드릴 순종자가 되리라고 결심하고 믿음으로 행할 때마다 하나님은 우리와 함께하셨다.

지난 세월을 돌아보면서 나는 또다시 겟세마네 동산으로 발걸음을 향한다. 하나님 앞에서 순종의 절정의 자리에 항상 서 있고 싶은 것이다.

세 가지 눈물

그리스도인에게는 세 가지의 눈물이 필요하다.

첫째는 회개의 눈물이다. 하나님 앞에 죄를 들고 나가는 것만큼 하나님을 기쁘시게 하는 일은 없으며 어떤 것보다 능력 있는 것이 회개 기도이다. 내 눈에서 회개의 눈물이 말라 버렸다는 것은 내게서 더 이상 죄를 발견하지 못하고 있다는 것이다. 그렇다면 나는 예수가 불필요한 자이니 그보다 더 불행한 일은 없다. 예수의 은혜와 단절되지 않았다는 증거가 회개의 눈물이다.

두 번째는 예수 믿지 않는 자들을 바라볼 때마다 불쌍해서 견디지 못하는 구령의 열정에서 터져 나오는 사랑의 눈물이다. 영혼 구원의 사명을 가진 목회자에게 이 눈물은 당연한 것이며, 목숨을 버려

서라도 인류를 구원하시려는 주님의 심정이 내 안에 있는 자는 이 눈물이 마르지 않는다.

마지막 세 번째 눈물은 주님의 은혜를 기억할 때마다 감사해서 견딜 수 없는 감사의 눈물이다. 감사는 은혜 받은 자로서 할 수 있는 최고의 인격적인 행동이다. 하나님을 향한 찬양도, 충성도, 물질을 드리는 것도 오직 감사 때문이다.

나는 목사이기 이전에 한 신앙인으로서 이 세 가지의 눈물이 평생 마르지 않기를 바란다. 이 눈물이 만약 나에게서 사라진다면 내 신앙은 껍데기에 불과하다.

주여, 내 눈에서 회개의 눈물, 사랑의 눈물, 감사의 눈물이 마르지 않는 진실한 자가 되게 하소서!

왕의 대로(大路)

중동지역에서 아브라함, 이삭, 야곱이 지나간 길을 왕의 대로(大路), 족장의 대로라고 부른다. 그 이유는 왕이신 하나님이 명령하신 대로 그들이 믿음을 행동으로 옮기며 걸어갔던 길이기 때문이다.

그러므로 그들처럼 왕의 대로를 걷고자 하는 사람은 하나님의 말씀의 길을 스스로 찾아서 능동적으로 움직이는 사람이다. 하나님의 섭리라는 거대한 물줄기에 끊임없이 자신을 합류시키기 위해 도전하는 자가 진정 복된 사람이다.

불순종은 하나님의 말씀을 기준으로 삼지 않고 자기 스스로가 믿음의 한계를 정하는 것이다. 또한 불순종은 우리를 하나님의 말씀이라는 대로에서 벗어나게 하여 낙오자가 되게 한다.

지금 이 순간에도 하나님의 거대한 섭리라는 왕의 대로가 우리 앞에 펼쳐져 있다. 그 길을 발견하고 그 길을 따라 낙오자가 되지 않는 자만이 하나님께 영원히 기억될 것이다.

성경 속에 왕의 대로를 걸었던 사람들은 하나님으로부터 큰 축복을 받았다. 하나님께서 무슨 말씀을 하시든지 절대 순종하는 자는 결국 하나님께서 책임지실 것이다. 하나님 말씀에 순종하고 복종하는 자는 절대 망하지 않고 하나님의 축복이 임한다는 것을 후손들에게 확실하게 보여 주실 것이다.

십자가를 지시고 죽음이라는 순종의 길을 묵묵히 걸으셨던 주님처럼 우리의 영원한 왕 되신 그분의 명령을 따라 왕의 대로를 걷고 싶다.

빛의 과녁을 향해

나는 목사가 된 것이 한편으로는 두렵기도 하고, 한편으로는 매우 기쁘다. 목사는 하나님의 말씀의 빛을 몰라 영원한 멸망으로 가는 자들을 설교를 통해 깨닫게 하여 살릴 수 있기 때문이다.

어둠에 거하던 자들에게 예수를 믿지 않으면 멸망한다는 사실을 깨닫게 하여 그들을 구원하는 일에 쓰임받으니 감사한 일이다. 또한 회개는 영적 어두움에서 벗어나는 것이요, 충성은 밝은 빛 가운데서 주의 일을 하는 것인데 설교 말씀을 듣고 자신의 죄를 깨달아 회개하고 성령 충만하여 주님을 위해 열심히 충성하는 성도들을 볼 때 기쁨과 감사가 넘친다.

교회는 하나님의 말씀의 빛을 비추는 만큼 부흥

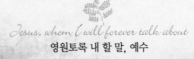

한다. 죄는 원어로 '하마르티아'라고 하는데, 과녁을 향해 쏜 화살이 빗나갔다는 말이다. 영원히 과녁에서 빗나가는 실수를 하지 않기 원한다면 빛 되신 주님께 100% 속해야 한다. 또한 하나님을 향한 첫사랑을 생명처럼 지켜 과녁에서 벗어나지 말아야 한다. 한 번 과녁을 빗나가면 예전과 같은 빛의 감격을 회복하기가 어렵기 때문이다.

우리 인생의 화살은 영혼의 때를 향해 가고 있다. 우리의 과녁이 천국이요, 영생임을 확신한다면 어떤 일이 있어도 세상의 어두움에 휩싸이지 않을 것이다. 결단코 과녁을 놓치거나 양보할 수 없는 것이 신앙생활이다.

주여, 삶의 현장에서 날마다 나를 비춰 주는 말씀의 빛으로 살게 하소서!

구원의 감격

만약 어머니가 예수를 믿지 않으셨다면 내가 예수를 믿었을 가능성은 거의 없었을 것이다. 어머니 덕분에 예수를 믿어 신앙생활 할 수 있었고, 지금까지 믿음을 지켜 올 수 있었다.

내 인생에 있어서 예수를 만나 영원한 지옥의 형벌을 면했다는 것은 영원한 감격, 그 자체이다. 그 엄청난 감격을 나 혼자만 갖기에 아쉬워 목이 터져라 그 복음의 소식을 전하는 목사가 되어 주를 위해 살게 하셨으니, 제대로 횡재한 인생이다.

주님께서는 우리가 구원받는 일에 무엇 때문에 그렇게 아쉬워하셨을까? 구원해 달라고 요청한 사실도 없고, 구원받아야 할 당사자는 정작 하나도 아쉬워하지 않는데, 한낱 초라한 피조물에 불과한

자들을 위해 왜 그리도 사랑하시려 아쉬워하며 애
타셨을까? 그것도 아들을 죽이면서까지….

내 이성으로는 이해할 수 없는 주님의 그 엄청
난 사랑이 놀랍고 감사할 뿐이다. 교회는 이러한
구원의 감격을 함께 나누기 위해 세워진 주님의 몸
이요, 나는 주님의 사랑에 빚진 자로서 그 감격적
인 소식을 전해야 하는 자이다. 여전히 주님은 죽
어가는 영혼 구원을 위해 목말라 하시고 아쉬워하
신다. 가슴 졸이시며 늘 안타까워하신다.

수고하고 무거운 짐진 자들이여, 주께로 달려와
주님의 목마름의 갈증을 시원하게 풀어 드리자. 아
쉬움으로 떨리는 사랑의 손을 덥석 잡아 드리자.

하나님의 때를 놓치지 않는 사람

어떤 사람과 대화를 나누다가 "저는 제 인생을 하루 인생이라고 생각하고 삽니다"라고 말했더니, 자기도 똑같다면서 주어진 오늘 하루를 기분 좋게 산다는 것이다.

그러나 내가 인생을 하루 인생으로 산다고 말한 것은 막연하게 하루를 행복하게 보낸다는 의미가 아니다. 오늘이 지나면 내 목숨이 마감될 것처럼 여기고 주님의 일에 전력을 다한다는 의미인 것이다.

하나님께서 내게 주신 성격 중에서 감사한 것은 다혈질이라는 것이다. 다혈질이 불리할 때도 있지만, 주의 일을 함에 있어서 오늘 할 일을 절대 내일로 미루지 못한다는 장점도 있다. 주님께서 내게 요구하시는 일만큼은 언제나 내 목숨보다 크게 여기고 빨리 해결해야 하기 때문에 즉시 할 수 있는 일들은 '지금', '당장' 해야 마음이 놓인다. 무엇보다도 나를 통해 일하시려는 하나님의 때를 놓치고 싶지 않기 때문이다.

우리의 신앙생활에도 이런 다혈질적 기질이 필요할 때가 있다. 이런 기질의 사람들은 기도하고 싶은 마음, 전도하고 싶은 마음이 생길 때 즉시 실행한다. 또한 교회에서 무슨 일을 하자고 했을 때, 앞장서서 궐기하듯 기어이 해내려고 한다. 그런 넘치는 열정은 하나님을 감동시키고 제한 없이 일하시게 한다. 그러기에 나는 매일 눈을 뜨면 또 하루를 주신 하나님께 감사하며 이 날이 인생의 마지막인 것처럼 오늘 하루도 내게 주어진 일에 최선을 다하며 살리라고 다짐한다.

나는 어떤 일을 시작하면 **몸을 사리지 않는다.** 특히 주의 일을 위해서는 가혹하다고 할 만큼 나를 혹사한다. 내가 이처럼 내 몸을 아낌없이 내던지는 이유는 목사이기 이전에 나도 주님께 은혜 받은 자이기 때문이다.

영원히 죽을 수밖에 없는 죄인 된 나를 구원하셨다는 은혜가 너무 크기에 주님이 나를 쓰신다는 사실만으로도 송구스럽다. 그래서 내 육신이 견딜 수 없이 몹시 힘들고 아파서 곧 쓰러질 것 같아도 겉으로 드러내지 않으려고 무던히 애를 쓴다.

성도들에게 약한 모습을 보이기 싫은 이유도 있지만 그보다도 주님이 당하신 고통을 생각하면 나의 처지는 그에 비할 바가 아니기 때문이다. 나의

몸이 아픈들 채찍에 맞아 살점이 뚝뚝 떨어지는 주
님의 아픔보다 더하랴. 손에 대못이 깊이 박힌 채
십자가에 달린 것보다 고통스러우랴. 내가 아무리
괴롭고 속상해도 십자가 지고 오르는 골고다의 저
주와 비난과 모욕에 비하겠으며, 십자가에 못 박으
라고 아우성치는 그 배신의 현장에 계신 주님의 고
독만큼 지독하겠는가?

그에 비하면 나의 고난은 너무나 작고 초라하
다. 오히려 내 육신이 연약할수록 더 강하게 주님
이 역사하시니 이처럼 감사하고 영광스러운 일이
또 있으랴. 그렇다. 내가 행복한 이유는 나에게도
주님처럼 살 수 있도록 허락된 십자가가 있기 때문
이다. 그것이 너무나 눈물겹도록 감사한 것이다.

주여, 나는 행복한 사람입니다.

짝사랑

    요즘 들어 부쩍 예배를 마치고 난 후에도 **나는 마이크를 놓지 못하고 성도들에게 "차 조심, 감기 조심 하세요"**라는 말을 하게 된다. 광고 시간에도 성도들을 향한 염려와 근심의 소리가 자꾸만 길어진다. 주일날 낮 예배를 드린 성도들이 저녁예배에 안 나올까 걱정이고, 저녁예배 나온 사람이 다음 날 새벽예배 안 나올까 걱정이다. 눈이 오면 미끄러져 다치지 않을까 걱정, 날씨가 추워지면 감기 걸릴까 걱정이다. 그때마다 성도들에게 문자 메시지라도 보내야 속이 편하니 내가 봐도 참 별나다 싶다.

    목회란 원래 성도를 위해 걱정 근심하기로 작정한 것이라고 하지만 지나칠 정도로 소심해져만 가는 내 모습을 보면서 나이 먹을수록 잔소리만 늘고 있는 것은 아닌가 하는 걱정이 슬며시 든다.

점점 커져만 가는 성도를 향한 나의 짝사랑(?)으로 한없이 좁아져만 가는 나의 마음을 쓸어안으면서, 내 안에 계신 주님의 은혜로 나는 좁아진 것 같으나 주님 심정으로 더 넓어지고, 그 사랑이 더 깊어지고 있다고 생각하니 행복하고 감사하다.

사도 바울처럼 나 역시 '근심하는 자 같으나 항상 기뻐하는 자'가 되었으니 그것만큼 더 기쁘고 감사한 일이 있겠는가? 나는 이 땅의 모든 인류를 품었던 주님 사랑의 그 넓이와 그 깊이를 생각하며 내 좁은 가슴이 성도들을 향해 더 넓어지고 깊어지길 간절히 바란다.

주여, 나를 넓혀 주소서!

복 있는 사람

복이라고 하는 것은 물질을 많이 쌓아 두는 것
이 아니다. 성경에 "일용할 양식을 주옵시고"(마
6:11)라고 했으니 오늘의 양식을 해결하는 것이 복
이라는 말이다.

이스라엘 백성이 광야에서 만나를 창고에 많이
쌓아 놓았지만 이튿날에는 모두 썩어서 먹을 수 없
게 되었다. 쌓아 놓는 것이 복이 아니다. 오늘 먹을
양식이 있는 것이 복이다.

신앙생활도 오늘 내게 주시는 하나님의 말씀을
듣고, 오늘 충성하는 것이 복인 것이다. 그러기에
나는 오직 영혼 살리는 일에 주리고, 주님의 일을
하는 데 주리고, 주님 명령에 순종하는 일에 주리
고, 내 평생에 주님 때문에 주리고 싶다. 주님은 의

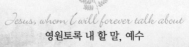

에 주리고 목마른 자와 상대해 주신다.

나는 다른 일은 대범하게 처리해도 주님 일만은 소심하고 섬세하게 처리하려고 한다. 배고픈 자가 밥풀 하나 안 남기고 먹어 버리듯이 주의 일을 오점 없이 깨끗하게 처리하고 싶은 것이다. 그렇게 하는 이유는 주님께서 다시 오실 때에 현미경보다 더 자세하게 내 평생의 삶을 보시고 심판하실 것을 알기 때문이다.

나의 가슴속에 항상 예수에 대한 열망, 주님의 사랑에 대한 열망, 목회에 대한 열망, 영혼을 살리고자 하는 열망, 주님의 뜻을 이루고자 하는 열망, 내 목숨은 초개와 같이 버릴지라도 주님의 뜻만 이루어진다면 "그리하옵소서"라고 할 수 있는 열망으로 주리고 목마른 자가 되고 싶다.

하나님의 지지를 받는 사람

세상에서 가장 부러운 사람은 하나님의 지지를 받는 사람이다. 멸시와 천대, 온갖 수모, 인간으로서는 견디기 어려운 상황에 처할지라도 주의 일이라면 "그리하옵소서" 하고 말할 수 있는 자가 하나님의 지지를 받게 된다. 작은 일에 변덕 부리고, 의지가 꺾이고, 사사롭게 흔들리는 자에게 하나님은 큰일을 맡기지 않으신다. 하나님은 정직한 자, 심지가 곧은 자를 쓰신다.

하나님은 한 번도 죄인 된 우리를 향한 지지를 철회하지 않으셨다. 우리를 사랑하시는 일에 등을 보이신 적이 없다. 오히려 우리를 지지하시는 일에 하나님 아들의 목숨을 아낌없이 내놓으셨다. 그런데 우리는 그분의 사랑 앞에 너무나 자주 등을 보인다. 하나님을 사랑한다고 말로는 그럴듯하게 이야기하지만 상황에 따라 그 지지함의 변동이 심하다. 그만큼 우리의 믿음은 초라한 반딧불 같고, 맛 잃은 소금과 같다. 또한 행함이 없는 '죽은 믿음'으로 살고 있는 것이다.

나는 '죽은 믿음'으로 살고 싶지 않다. 그러기에 말씀 앞에 나를 세우고 하나님을 더 사랑하기로 결심한다. 믿음으로 살려고 몸부림치며 기도한다. 어떤 어려움이 닥칠지라도 십자가를 지고 예수를 따라갈 수 있는 흔들림 없는 사랑과 믿음을 달라고 기도하는 것이다. 나는 그분 앞에 최소한 배은망덕한 자로 살고 싶지 않다. 하나님을 지지하는 자가 되어 나 또한 그분의 지지를 받으며 살고 싶다.

신앙생활은 하나님과 나와의 관계를 보여주는 것이다. 그 속에서 비겁함을 보이거나 추한 모습을 보여서는 안 된다.

하나님의 사랑을 받으려면 도무지 할 수 없는 환경과 조건 속에 있을지라도, 모든 사람들이 도저히 할 수 없다고 말할 때 "제가 하겠습니다"라고 할 수 있어야 한다.

교회를 개척하고 나는 "전 세계 교회, 모든 목사들이 이 일은 힘들어 못하겠다고 내던지는 일이 있거든 저에게 시켜주세요"라고 기도했다. 다른 사람들이 모두 다 이런저런 이유로 도저히 못하겠다고 말할 때 주님의 요구를 시원하게 들어줄 수 있어야 주님께 발탁된다고 나는 믿었고 하나님께서

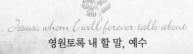

Jesus, whom I will forever talk about

영원토록 내 할 말, 예수

는 그렇게 역사하셨다.

인간의 수단과 방법으로 해결할 수 없는 불가능에 부딪혔을 때, 염려와 근심을 다 주님께 맡기고 "주님만이 하실 수 있습니다" 할 때 주님께서는 감동하시고 그 일에 개입하신다.

그 일을 감당하면서 정말로 육체로는 피곤하고 힘이 들 때도 있었다. 그때마다 항상 나를 일으켜 세우는 주님 앞의 다짐이 있으니 바로 나를 위해 죽으신 십자가의 피 공로를 잊을 수 없다는 '감사'와, 나를 믿고 큰일을 맡겨 주셨는데 주님을 실망시킬 수 없다는 은혜 받은 자로서의 '도리' 가 그것이다. 이 마음마저도 주님께서 주신 마음이지만 나는 주님 앞에 끝까지 의리를 지키고 싶다. 그렇게 주님을 사랑하고 싶다.

아름다운 죽음

암탉은 한 번에 20여 개 정도의 알을 품는다고
한다. 암탉은 어깨에 힘을 불끈 쥐고 강력하게 열
을 가하면서 알을 품는다. 20일 정도 지나면 병아
리가 나오게 되고 주인은 또다시 새로운 알을 넣어
준다. 이렇게 두 번쯤 알을 품고 나면 암탉은 뼈만
남을 정도로 몹시 수척해진다. 그럼에도 불구하고
암탉은 세 번이고 네 번이고 알을 넣어 줘도 그것
을 거부하지 않는다. 알을 품는 동안 암탉은 하루
에 딱 한 번 모이를 먹으러 내려온다.

내려와서도 알이 혹시 식어 버리지는 않을까 하
는 걱정 때문에 몇 번 쪼아 먹고는 급히 올라간다.
결국 어떤 암탉은 기력이 소진되어 알을 품다가 그
자리에서 목을 빼고 죽는다. 수시로 모이를 먹을

수 있는데도 암탉은 알을 품는 일에 목숨을 거는 것이다. 아름다운 모성애에서 나오는 안타깝지만 아름다운 죽음이다.

예수님도 인류를 사랑으로 품으셨다. 채찍에 맞으시고, 십자가라는 저주의 형틀에 달리시어 죽기까지 우리를 사랑으로 품으셨다. 살을 찢고 피를 쏟아붓는 엄청난 고난과 죽음이라는 에너지로 우리를 사랑하셨다.

과연 지금까지 주님께서 맡겨준 영혼들을 품는 일을 위해 내가 쓴 에너지는 얼마나 될까? 알을 품다 죽은 암탉만큼이나 될까? 주님의 사랑의 분량에 비하면 아무리 계산해도 부족하다. 죽도록 충성하라는 이 한마디 말씀대로 산다는 것이 참 어려운 일이다.

나는 십 대의 나이에 구역장 임명을 받았다. 그 때부터 금요일만 되면 학교에 갔다 와서 구역 식구들을 예배에 참석시키려고 바쁘게 뛰어다녔다. 어른들이 "조그마한 것이 어지간히 설쳐!"라고 핀잔을 주면 나는 "조그만 저를 보지 마시고 나에게 구역장을 명하신 하나님을 보세요"라고 설득하면서 예배에 나와 달라고 부탁했다.

첫 구역예배가 있던 날, 밤 9시에 정해진 예배는 11시가 넘어서야 시작되었다. 구역 식구 63명이 다 올 때까지 돌아다녔기 때문이다.

나는 분명히 말했다. "앞으로 한 분만 안 와도 저는 구역예배를 안 드립니다. 자기 때문에 많은 사람이 기다리지 않도록 일찍 오세요." 모두 어이 없어하는 눈치였다. 설마 했겠지만 그렇게 몇 주간을 하다 보니 '데리러 오기 전에 그냥 빨리 갔다 오는 것이 낫다'며 전원이 예배에 참석하였다. 그렇게 모인 구역 식구들이 나중에는 모두 예배의 소중힘을 알게 되었으니 감사할 일이다.

당시 나는 구역장 직분이 '주님께서 내게 맡겨 주신 일'이라는 한 가지 이유 때문에 그렇게 하지 않고서는 스스로 견딜 수가 없었다. 절대자이신 하나님께서 특별한 섭리를 가지고 나를 부르셨다는 그 한 가지가 감격할 정도로 감사했기에 그토록 뜨거운 열정을 가질 수 있었다. 지금도 나는 그 진실한 감사의 감격이 있기에 하나님을 실망시킬 수가 없으며, 신앙생활을 게을리할 수 없고, 맡긴 사역을 등한시할 수가 없다. 주께서 나를 쓰시고 있다는 그 감격, 그 황홀감으로 하루하루를 살고 싶다.

하나님의 경륜(經綸)

바울은 옥중에서 "내가 이제 너희를 위하여 받는 괴로움을 기뻐하고 그리스도의 남은 고난을 내게 채우는 것은 바로 하나님이 내게 주신 경륜을 따라 하나님의 말씀을 이루려 함이다"라는 고백을 하였다(골 1:24~25). 복음을 향한 그의 수준 높은 사명감, 그 속에 담긴 고귀한 기쁨이 깊이 배어 있는 한마디이다.

목회를 하면서 육신의 한계를 넘어선 고통 중에도 내 속 깊은 곳에서 솟아나는 기쁨에 압도될 때가 있다. 영광스러운 주의 일의 대열에 내가 있다는 것 때문이다. 여자는 약하지만 어머니는 강하다는 말처럼 육신은 약하지만 목회의 사명은 강하다. 하나님의 경륜은 육신을 초월할 힘을 준다.

싫증, 좌절, 불평불만은 우리에게 주신 하나님의 경륜을 파괴하는 원수다. 이것을 이길 힘은 '나에게는 하나님이 내게 주신 예수의 생애를 재현해야 하는 신령한 경륜이 있다'는 꺾이지 않는 사명감이다.

풀잎에 맺힌 아침 이슬은 태양이 비추는 순간 말라버리고 말지만 풀잎 안에 있는 수분은 마르지 않는다. 이처럼 하나님의 경륜을 가진 자는 감정이나 기분에 치우치는 파도 위의 돛단배 같은 존재가 아니라 눈에 보이지 않는 깊은 물속을 다니는 물고기와 같이 자유롭다. 외부의 힘에 의해 끌려다니는 것이 아니라 내 속의 하나님의 경륜을 동력 삼아 항상 나를 자신 있게 이끌고 간다.

주여, 영원히 마르지 않는 그 생명의 경륜을 내게 주시옵소서!

제한 없는 열애(熱愛)

인류 역사상 가장 아름다운 단어가 있다면 바로 '사랑'일 것이다. 이 세상의 수많은 음악과 미술, 문학은 물론 최상의 예술 소재가 '사랑'이었다. 그러나 그 어떤 사랑이 우리 영혼을 위해 피 흘려 죽으신 십자가의 사랑에 비할 수 있겠는가?

성경에 등장하는 수많은 믿음의 사람들은 하나님이 사랑하신 사람들이요, 하나님을 사랑한 사람들이다. 이들이 하나님과의 사랑의 관계 속에서 만들어 내는 사랑의 행위와 그 사랑을 담은 아름다운 노래와 시어(詩語)들이 얼마나 많이 넘쳐 났었던가?

다윗의 시편이 영원한 진리로써 가치가 있는 것은 하나님의 사랑을 그만큼이라도 표현했기 때문이다. 그렇기에 인간의 언어가 그만큼 아름다울 수 있었으며, 그 사랑의 표현이 최상의 예술이 될 수 있었던 것이다.

나 역시 목사이기 전에 하나님으로부터 그 사랑을 받은 자이며 은혜 받은 자이다. 그래서 설교의 목적도, 그 내용도 온통 그분의 사랑에 대한 이야기이며, 성도를 내 몸보다 더 사랑할 수 있는 것도 바로 그 사랑 때문이다.

나를 사랑하신 그분을 향한 뜨거운 열정, 절대적인 순종, 죽음까지도 아낌없이 바칠 수 있는 충성. 이 모든 목회의 힘과 자원들이 바로 하나님의 제한 없는 사랑에서 나온다. 목회란, 하나님과의 제한 없는 열애요, 그 사랑을 아름답게 그려내는 생명의 예술이다.

은혜 앞에 겸손한 자

자식들은 모이기만 하면 자기가 부모에게 한 것을 자랑하기 바쁘다. 누가 더 많이 해드렸나 서로 은근히 자랑하면서 효를 드러낼 때, 부모는 "그래 맞다. 너희들이 효도하니까 이렇게 살지" 하며 자녀들의 말에 동의하고 고마워한다. 그러나 부모는 그 자식을 피 쏟아 낳았고, 진자리 마른자리를 갈아 누이며 온갖 고생 가운데 키웠다. 부모가 자녀를 어떻게 키웠는지 그 수고에 대하여 낱낱이 열거한다면 그 사랑을 감당할 수 없을 것이다.

감당할 수 없는 은혜를 입고도 부모에게 해 드린 것만을 가지고 자랑하는 자녀의 모습을 바라보면서 하나님과의 관계에서 혹시라도 이런 모습은 없는지 나를 살펴보게 된다.

교회 안에서도 충성과 전도를 놓고 자기가 한 일을 드러내는 사람이 있다. 그것은 하나님의 은혜를 전혀 생각하지 않는 이기주의적 생각이다. 우리는 내가 한 것을 계산하기보다 주님께 받은 은혜를 기억하고 감사할 줄 알아야 한다.

주님 앞에 한 일이 아무리 많아도 하나님께서 우리에게 베푸신 은혜에 비하면 너무나 초라하다는 것을 아는 사람들은 자신이 한 일이 드러날까 봐 오히려 조심한다. 너무 큰 은혜를 받았기에 그분 앞에 자랑할 용기가 없는 것이다. 오히려 더 열심히 충성하고 기도하고 전도하지 못한 것이 아쉬울 뿐이다.

주여, 은혜 받은 자로서 그 은혜에만 영원히 감사하는 자 되게 하소서!

영혼을 사랑하는 힘

　　그리스도인으로서 할 수 있는 최고의 열심이 있다면 그것은 구령의 열정이다. 하나님께서 그 아들을 자신이 만든 피조물에 의해 채찍에 맞게 하시고 이리저리 끌려 다니면서 온갖 수난을 당하게 하시고 가장 저주스러운 십자가라는 형틀에 못 박혀 죽기까지 하신 이유도 바로 인간을 향한 사랑, 구령의 열정 때문이었다.

　　이처럼 구령의 열정은 내 육신 하나 죽어서 만약 한 영혼이 살 수 있다면 기꺼이 그렇게 하겠다는 주님 심정에서 터져 나오는 영혼을 사랑하는 힘이다. 지옥 갈 수밖에 없는 죄인 된 자를 구원하신 예수 그리스도의 피 흘림의 사랑 앞에 무릎 꿇어 본 자만이 느낄 수 있는 겸손한 사랑의 힘이다.

이 사랑의 힘이 우리로 하여금 전도하게 한다. 그러나 전도는 인간의 힘으로 할 수 없는 하나님만이 하실 수 있는 일이기에 기도해야 한다. 그렇다면 그 기도의 힘은 또 어디에서 나오는가? 바로 구령의 열정에서 나온다. 구령의 열정은 성령 충만함에서 나온다. 그러므로 성령 충만함으로 구령의 열정이 넘치는 자만이 기도할 수 있고 전도할 수 있는 것이다.

구령의 열정이 있는 교회만이 부흥한다. 목회자에게 구령의 열정은 목회 성공 여부가 달린 생명선(生命線)과 같은 것이다. 나는 목회자로서 내게 이 열정이 있는지 늘 자문하면서 그 사랑의 힘이 끊어지지 않도록 기도한다.

주여, 구령의 열정을 내게 주소서!

예수 그리스도만이

하나님께서 우리에게
아들 예수 그리스도를 보내신 것은
인류를 죄에서, 저주에서, 질병에서
구원하시려는 사랑 때문이다.
하나님은 노아의 홍수 때에
방주를 예비하심과 같이
우리의 구원주이신 예수 그리스도를
이 땅에 보내셔서 우리의 죄를 대신 담당하시고
십자가에 피 흘려 죽게 하셨으니,
예수가 없이는 죄와 저주와 질병과
파괴로 인하여 위협받는 귀중한 목숨도
생명도 영혼도 보장이 없는 것이다.
예수만이 우리의 방주요, 구원이시다.

Jesus, whom I will forever talk about
영원토록 내 할 말, 예수

첫째는 죄에서 구원이요(마 1:21),

둘째는 하나님의 자녀로 양육하시고

일하게 하심이요(요 1:12, 롬 8:16~18),

셋째는 무엇이든 받아 누릴 수 있는

기도의 권리를 주심이요(요 14:13~14),

넷째는 성령이 영원토록 인도하심이요(요 14:16~19),

다섯째는 천국에서 영원히 살게 히려 하심인 것이다.

노아 시대에 방주를 초월해서 살 수 없었듯이

오늘날 이 시대는

예수 그리스도를 초월해서는 살 수 없다.

예수만이 우리의 구원주이시기 때문이다.

세상은 영원히 속이는 자요, 빼앗는 자이다.

자기 멸망의 밑천인 정욕을 버리고

예수로 살려 하라.

여기에 구원의 방주가 있다.

바로 예수만이 길이요, 진리요, 생명이다.

윤석전 저, 〈구령의 열정〉 중에서

Part I
행복한 사람

성도들을 더 사랑하게 하소서! 더 기도하게 하소서!
주님이 날 사랑하신 것처럼, 주님께서 십자가에서
살 찢고 피 흘리시기까지 나를 사랑하신 것처럼
나도 그렇게 성도들을 사랑하게 하소서!

Part II

성도를
사랑하는 마음

Jesus, whom I will forever talk about

한가족

나는 성도를 남처럼 생각하지 않고 **항상 가족처**럼 대해 왔다. 어떻게 그렇게 큰 교회에서 목사와 성도가 가족같이 될 수 있느냐고 하지만 개척 교회 시절이나 지금이나 나에게 성도는 그 수에 상관없이 한가족이다.

내가 만약 목사를 교회를 운영하는 경영자쯤으로 생각했다면 나는 성도를 일하는 사람으로 대우했을 것이다. 내가 만약 목사를 하나의 밥벌이 수단으로 생각했다면 성도를 나의 생계유지를 위한 고객으로 여겼을지도 모른다. 내가 만약 성도를 이해관계가 얽혀 있는 남으로 생각했다면 나는 설교에 혼신을 다하지 않았을 것이고 내 모든 생애를 바쳐 목회에 전념하지도 않았을 것이다.

성도들이 나의 이런 진실한 심정을 몰라주고 나를 남처럼 생각하고 등을 돌릴 때 목사의 가슴은 찢어지도록 아프다. 주님께서 "나를 사랑하면 내 양을 먹이라"고 하셨으니, 목사는 주님을 사랑하는 한 성도를 영원히 사랑할 수밖에 없다.

목사에게 닫힌 그들의 마음의 문을 향해 여전히 사랑과 믿음으로 열려 있는 것이 목사의 마음이다. 자신의 품을 떠난 아들을 기다리는 아비의 심정이 성도들을 향한 목사의 심정이요, 그때마다 보이지 않는 마음의 눈물을 흘리는 것이 목사이다.

주여, 나에게 성도는 영원히 한가족입니다.

믿음의 스케줄

이 세상에서 세월만 지난다고 되는 것은 하나도 없다. 그 세월 속에서 나를 가치 있게 만들어 내야 한다. 세월의 정복자, 지배자가 되지 못한다면 우리에게 주어진 세월은 그저 흘러가는 시간에 불과할 뿐이다.

우리 인생에서 아무리 많은 기회가 놓여 있다 해도 그것을 내 유익으로 만들지 못하면 나는 그저 구경꾼에 불과하다.

이 시대 속에 흐르고 있는 하나님의 뜻과 섭리도 마찬가지이다. 그 속에 나를 개입시키지 못한다면 나는 하나님의 섭리의 시간과는 무관한 시간 속의 존재일 뿐이다.

하나님의 뜻이 나에게 이루어지게 하기 위해서

는 하나님의 섭리와 뜻이 담긴 하나님의 스케줄 속에 나를 확실하게 개입시켜 하나님이 원하시는 최고의 함량으로 나를 부지런히 만들어 나가야 한다.

나는 성도들에게 믿음의 스케줄, 교회의 스케줄을 우선하자고 말한다. 하나님의 거대한 스케줄 속에 나와 성도들을 더욱더 단단히 묶어 두고 싶고, 하나님의 섭리라는 거대한 바다 위에서 마음껏 항해하고 싶기 때문이다. 우리 교회가 이 시대에 하나님의 섭리와 뜻을 이루어 내는 중요한 주인공이 되기를 간절히 바라는 것이다.

성도여, 믿음의 스케줄, 교회의 스케줄을 우선하자! 오직 영혼의 때를 위하여!

인격적인 감사

인간은 하나님의 은혜 없이는 전혀 살 수가 없
다. 하나님은 그런 인간이 하나님의 은혜로 살되
하나님께 감사와 영광을 돌리며 살도록 하셨다.
그러므로 하나님의 은혜로 사는 자는 누구든지 한
없는 하나님의 사랑에 제한 없는 감사를 드려야
한다.

우리가 하나님의 은혜 받을 자로 창조된 것이
얼마나 감사한 일인가. 만일 돼지로 태어났다면 8
개월만 되면 잡아먹혔을 텐데 사람으로 태어나 영
원히 사는 존재가 되었으니 말이다. 또한 수많은
사람이 하나님을 떠나 지옥을 향해 가는데, 나는
예수 믿어 영원한 천국을 향해 가니 이 모든 일을
생각할 때 감사밖에 없다.

하나님이 창조하신 피조물 중에 인간만큼 하나님을 대적하고, 불순종하고, 떠나고, 속 썩이는 피조물이 또 있으랴! 그런데도 하나님은 인간에게 관심을 두고 끝없이 사랑하신다.

하나님과의 인격적인 만남은 감사로 시작된다. 하나님은 인간을 사랑으로 만나기 시작하고, 인간은 하나님을 감사로 만나기 시작한다. 그런데 그 크신 하나님의 은혜로 살면서도 하나님의 존재를 잊어버리고, 은혜 베푼 자를 찾는다면서 우상에게 절하며 섬기는 어리석은 모습을 바라볼 때 하나님은 얼마나 마음이 아프실까?

그래도 하나님은 은혜를 은혜로 알지 못하고 감사해야 할 분에게 감사하지 못하는 자들이 돌아오기를 끝까지 참고 기다리신다.

아멘 소리

목사의 설교에 성도들의 아멘 소리만큼 큰 힘이 되는 것은 없다. 성도들이 설교에 은혜 받고 만족한 모습을 보는 것만큼 기쁜 일은 없다. 예배 후 "목사님 말씀에 은혜 받았습니다"라는 성도의 진실한 말 한마디에 설교 후의 모든 피곤함이 싹 씻겨 내려간다. 성도들의 희로애락에 따라 좌지우지되는 게 목사이다.

다른 곳에서 부흥성회를 마치고 우리 교회에 돌아와서 설교할 때면 나는 마치 물고기가 제 물을 만난 것처럼 성도들의 아멘 소리에 더 큰 활력을 얻는다. 많은 목사님들이 우리 교회 외형을 보고 부러워하기도 하지만 사실 내심 더 부러워하는 것은 살아 있는 성도들의 아멘 소리이다. 설교할 때마다 성도들의 아멘 소리가 파도치고, 마치 부흥회의 마지막 시간 같은 뜨거운 주일 예배의 영적 분위기가 그렇게 부럽다는 것이다. 영적인 생기로 넘쳐나는 이 분위기가 곧 우리 교회가 살아 있다는 징표요, 우리 교회를 부흥케 하는 변함없는 힘이다.

오늘까지 목회의 큰 힘이 되었던 것은 부족한 나를 믿고 지지해 준 성도들이 있었기 때문이다. 성도들에게 살아 있는 아멘 소리가 나올 수 있도록 설교에 목숨을 걸고 하나님의 말씀을 전하는 일에 전무하리라. 매일매일 하나님과의 예배가 최상의 영적 잔치가 되는 우리 교회가 되길 바란다.

주여, 성도들의 아멘 소리가 항상 파도치게 하소서!

피할 수 없는 길

하나님 말씀을 돌아가는 길이 있다면 얼마나 좋 겠는가? 그러나 이 세상에서 받는 비난과 돌팔매 질이 있더라도 그 길로 가야만 하는 것이 말씀대로 사는 삶이다. 목회가 어려운 것은 나도 그 길을 가 야 하고 성도들도 그 길을 함께 갈 수 있도록 인도 해야 하기 때문이다.

성도들은 가끔 신앙의 갈등 상황에서 목사님이 그렇게 하라고 했다며 나의 입장을 아주 난처하게 만드는 경우가 있다. 그럴 때 나는 욕먹는 것이 억 울한 것이 아니라 목회자로서 느끼는 인간적인 갈 등 때문에 더 괴롭다. 누군들 성도들에게 입에 단 것만 먹이고 싶지 않겠는가? 좋은 것, 쉽고 편한 길만 있다고 가르치고 싶지 않겠는가? 하지만 그 길은 내가 피하라고 해서 피할 수도 없고, 피한다고 해서 피해지는 길도 아니다.

예수께서도 십자가라는 하나님의 절대적인 사명 앞에서 묵묵히 그 길을 걸으셨다. 예수는 십자가의 처절한 형틀에서 내려올 권세도 있었고, 비난하고 조롱하는 자들에게 하늘의 불을 내려 심판하고 그 십자가를 벗어버릴 권세도 있었다. 그러나 그분은 목숨을 버리고 십자가의 길을 선택했다. 그 길만이 죽을 수밖에 없는 인류의 구원을 위한 하나님의 사랑의 길이었기 때문이다.

우리가 걷는 믿음의 길 역시 누가 가자고 해서 걷는 길이 아니다. 하나님의 말씀이기에 목숨 걸고 순종하며 걸어야 하는 길이다. 나를 사랑하신 그분의 사랑 때문에 걷는 길이기에 피할 수 없는 고난의 여정 속에서도 행복할 수 있는 것이다.

은혜 속에 강한 힘

"내 아들아 그러므로 네가 그리스도 예수 안에 있는 은혜 속에 강하고"(딤후 2:1)라는 말은 그는 이미 구원받은 인간이라는 말이요, 이 세상에서 육신이 끝날지라도 이미 하늘나라를 확보했다는 것을 말하는 것이다.

"핍박이 오고 환난이 와도 내 주만 위해 내가 살리라"는 찬송을 부를 수 있는 자가 곧 은혜 속에 강한 자이다. '강하라'는 말은 '이 은혜를 놓치지 말라'는 말이며, 네게 이런 은혜가 있으니 자신 있게 살라는 말이기도 하다.

이 은혜가 없었다면 나 같은 사람은 지금과 같은 카리스마 넘치는 목회를 할 수 없었을 것이다. '카리스마'는 곧 은사적인 목회를 말하는 것인데 나에게 보이지 않는 그 어떤 것보다 강력한 힘이 있으니 그것은 바로 내 안에 있는 '은혜의 힘'이다.

목회자는 이 힘이 있어야 한다. 성도를 사랑하고, 권면하고, 뜨겁게 신앙으로 성장시키기 위해서는 이 은혜의 힘이 있어야 한다. 이 힘을 받아들이려 하지 않는 사람은 위에서 물이 쏟아지는데 문을 닫고는 그 물을 받지 않는 것과 같다.

다른 것은 다 빼앗겨도 이 은혜만큼은, 우리의 영적 생활만큼은 절대 누구에게도 빼앗겨서는 안 된다. 그리스도인은 바로 이 은혜의 힘 속에서 강한 군사로 세상을 이기며 살아가야 하는 사람들이다.

하나님과 심정이 통하는 자

사람끼리 일할 때, 서로 심정이 통하면 아무리 힘든 일을 해도 힘들지 않다. 하지만 심정이 통하지 않으면 그 일을 시키는 자도 힘들고, 그 일을 하는 자도 힘들다. 하나님과의 관계에서도 하나님과 심정이 통하는가 하는 것은 중요한 문제이다.

하나님께서는 다윗을 향하여 '내 마음에 합한 사람'이라고 하셨다(행 13:22). 마음의 중심이 같다는 것은 하나님과 심정이 통한다는 것이다.

이스라엘의 지도자 모세도 호렙산 떨기나무 밑에서 하나님과 심정이 통할 때 비로소 애굽으로부터 종살이하는 이스라엘을 구할 위대한 지도자가 될 수 있었다. 사도 바울 역시 하나님과 마음이 하나가 되기 전에는 예수 믿는 사람들을 핍박하던 자였지만 다메섹 도상에서 하나님과 마음이 하나가 되는 순간부터 가장 위대한 복음 전도자로 변화되었다.

우리의 신앙생활도 하나님과 마음이 합하지 못하면 신앙생활을 하는 목적 자체를 잃어버리게 된다. 하나님은 말씀과 성령으로 우리를 섬세하게 인도하길 원하신다. 우리가 주의 마음, 그리스도의 마음을 갖기를 원하신다.

"누가 주의 마음을 알아서 주를 가르치겠느냐 그러나 우리가 그리스도의 마음을 가졌느니라"(고전 2:16)

성도여, 하나님과 심정이 통하는 자가 되자. 하나님과 마음이 합한 자가 되자. 주의 마음을 알고 그 마음을 가진 자가 되자.

청년의 믿음으로 부흥을

밴쿠버 동계올림픽에서 20세를 갓 넘은 청년들이 딴 금메달 소식에 온 국민이 열광했다. '쾌속세대' 라 불리며 세계를 거침없이 누비는 그들의 젊음에 아낌없는 찬사를 보냈다. 청년의 때가 눈부시게 아름다운 것은 무엇보다 미래를 꿈꾸게 하는 희망의 에너지 때문이리라.

우리 교회 청년회가 주최하는 화요기도회가 다시 시작되었다. 망원동 성전 시절의 화정회가 그 당시 교회 부흥의 불씨가 되었던 것을 기억할 때 나는 내심 기대하는 바가 크다. 수많은 청년이 변화되어 예수와 함께 젊음의 때를 보낼 것을 생각하니 그들이 사랑스럽고, 하나님이 쓰시는 큰인물로 성장할 것을 바라보니 교회의 희망이 보인다.

나는 청년도 사랑하지만 '청년 같은 믿음'을 가
진 성도를 더 사랑한다. 청년 같은 믿음은 나이와
상관없이 환경을 초월하는 좌절이 없는 믿음이요,
하나님의 능력으로 불가능을 이기는 최절정의 믿
음이다. 우리 교회 성도들이 모두 청년 같은 믿음
을 갖기를 바란다.

올해로 우리 교회도 24주년을 맞았다. 24살이
면 청년으로는 가장 절정의 때이다. 모든 성도가
청년의 믿음으로 무장하고 새로운 도약을 위해 출
발해야 할 때이다.

성도여, 24년 동안 우리를 써 주신 하나님께 최
고의 감사와 영광을 돌리며 주님 주신 교회의 사명
을 위해 청년의 믿음으로 쾌속 질주하자. 청년의
믿음으로 부흥을 이루자.

사랑의 능력

　목사로서 목회하면서 가장 두려운 것이 성도에 대한 사랑이 식어서 무관심해지면 어쩌나 하는 것이다. 그리고 예수 믿지 않는 사람들을 볼 때마다 내 속에서 그들을 불쌍히 여기는 마음이 사라질까 봐 참으로 두렵다.

　교회에는 수많은 사람이 우리를 통해 예수를 알고 믿고 구원받도록 주님의 사랑이 넘쳐야 한다. 만약 내 속에 이와 같은 주님의 사랑이 없다면 나는 아무것도 아니요, 교회에 이런 사랑이 없다면 교회는 사업체로 전락하고 말 것이다.

　사랑 안에서 능력도 나타난다. 나사로가 죽어서 무덤에 있을 때 주님은 사랑하는 친구 나사로가 잠들었다고 말씀하셨다. 나사로를 사랑하셨기에 나흘 거리나 되는 길을 걸어오셨다. 주님이 무덤 앞에 서서 "나사로야 나오라"고 외치실 때 그 사랑의 명령 앞에 죽은 나사로가 베를 동인 채로 걸어 나온 것이다.

우리도 이와 같이 사랑의 목소리를 듣고 하나님의 사랑을 만나야 한다. 그 사랑을 만나는 순간 나를 귀찮게 한다고 생각했던 것들이 모두가 사랑이었음을 깨닫게 된다. 모든 예배와 충성이 내게서 시간과 물질을 빼앗아 가는 것이 아니라 면류관과 보화로 쌓아 주시는 사랑임을 알게 된다. 죽도록 충성하라는 말씀도 나를 향한 하나님의 뜨거운 사랑임을 알게 될 것이며, 그 순간 신앙생활의 모든 것들이 기쁨과 평안으로 다가올 것이다.

성령이 주신 상상력

고인 물은 반드시 썩는다. 바닷물이 썩지 않는 이유 중의 하나는 달의 인력에 의해 계속 움직이고 있기 때문이다. 이처럼 하나님께서는 성령의 생각대로 나를 움직이기를 원하신다. 그럼에도 성령의 생각대로 행동하지 않는다면 마치 고인 물이 썩는 것처럼 내 심령은 육신의 생각에서 나오는 죄로 부패할 뿐이다. 성령이 주시는 생각을 상실하면 하나님이 나를 통해 이루실 모든 꿈과 희망에 좌절을 가져온다.

요엘 선지자는 "내가 내 신을 만민에게 부어 주리니 너희 자녀들이 장래 일을 말할 것이며 너희 늙은이는 꿈을 꾸며 너희 젊은이는 이상을 볼 것이며"(욜 2:28)라고 예언했다.

성령은 꿈과 이상이라는 믿음의 상상력을 가진 자를 찾고 계신다. 성경은 성령이 주신 상상력에 압도당한 사람들의 이야기로 가득하다. 그러므로 오늘날 성령을 받은 자라면 성령이 주시는 상상력이 늘 내 안에서 파도쳐야 한다. 그 상상력에 나를 맡길 때, 그 상상은 놀라운 생명력이 되어 나를 변화시키고, 가정과 사회와 교회를 변화시키고 한 시대를 변화시킨다. 하나님의 일은 성령이 주신 상상을 소유한 자의 몫이다.

성도여, 하나님이 응답하실 것이라는 상상으로 기도하고, 천국에 대한 상상으로 영혼의 때를 바라보며 충성하고, 죽어가는 영혼을 살리는 상상으로 열정을 가지고 전도하자. 성령이 주시는 환상과 꿈, 그 무한한 상상력으로 나를 일으켜 세우자. 성령께 쓰임받는 자가 되자.

기도가 주는 축복

주님께서는 "내 이름으로 무엇이든지 내게 구하면 내가 시행하리라"(요 14:14)고 말씀하셨다. 하나님의 명예를 걸고 '무엇이든지' 구하면 응답하신다고 하셨으니 우리에게 기도보다 더 큰 축복은 없다.

그러므로 우리는 무엇을 하든지 기도로 시작하면 된다. 내 가정의 문제, 직장의 문제, 사업의 문제, 건강의 문제를 비롯한 내 신앙생활을 방해하는 영육 간의 모든 문제를 놓고 기도로 해결받는 것이 우선되어야 한다. 기도의 응답으로 하나님의 살아 계심을 체험할 때, 하나님으로부터 받은 처음 사랑이 회복되고 구원의 감격이 넘쳐나게 된다. 이처럼 내 영혼이 먼저 살아나야 다른 사람을 전도할 수 있고 기쁨으로 충성할 수 있는 생명력을 갖게 된다. 또한 기도할 때 악한 사단, 마귀, 귀신을 쫓고 병을 고치는 성령의 능력이 제한 없이 나타난다.

아무리 큰 나무라 할지라도 뿌리로부터 진액이 공급되지 않으면 바싹 말라 죽을 수밖에 없다. 뿌리로부터 진액을 제대로 공급받을 때 가지가 크고 잎이 피고 열매가 맺는 것처럼 신앙생활의 성공 여부도 기도에 달렸다. 초대 교회 부흥의 역사를 볼 때, 마가 다락방에서 전혀 기도에 힘쓰는 것으로 시작되지 않았던가? 우리 교회가 지금까지 존재할 수 있었던 이유도 기도했기 때문이다.

성도여, 기도가 주는 축복을 놓치지 말자. 무엇이든 시행하리라 하신 주님께서 주시고자 하시는 축복을 마음껏 소유하고 누리자!

주여, 기도로 부흥케 하소서!

세월의 주인공

인생은 마치 한 자루의 양초와도 같다. 불을 환하게 밝히다가 양초가 다 타버리면 심지에 붙었던 불은 꺼지고 만다. 심지를 감싸고 있던 양초의 분량만큼만 불을 밝히다가 사라지는 것이다. 이처럼 육신의 때가 다하면 사라지는 것이 우리 인생이다.

만약 아무도 사용하지 않는 빈방에 양초가 켜져 있다면 그 초는 쓸데없이 낭비되고 있는 것이다. 그러므로 지금 내 인생의 양초가 무엇을 위해 불을 밝히며 소모되고 있는가가 중요하다.

우리는 이 세월 속에서 하나님 앞에 필요한 사람이 되어서 스스로가 자기 영혼을 위하여, 하나님을 위하여 값지게 사용되는 복된 삶을 살아야 한다. 칠십 년, 팔십 년이라는 날아가는 듯한 짧은 세

월을 아껴야 한다. 주를 향해 가야 할 우리의 세월
이 주님과 반대로 멀리 가게 해서도 안 되고 주님
과 스쳐 지나가게 해서도 안 된다. 후회하며 낭비
해시도 안 된다.

매일매일 주님을 위해 강렬한 불꽃으로 가장 아
름답게 절정을 이루며 타올라야 한다. 주님을 사랑
하는 신앙의 열정으로 타오르고, 구령의 열정으로
타오르고, 충성의 열정으로 타오르고, 주님 사랑과
이웃 사랑으로 타올라야 한다.

성도여, 세월의 주인공이 되자. 불충했던 모습,
아쉬움은 세월 속에 접어 두고 영혼의 때에 피어날
영광스러운 열매를 기대하며 살자!

'시험 들었다'는 말은 육신의 소욕과 정욕이 하나님의 말씀을 도전할 죄의 세력으로 자라서 감당할 수 없을 만큼 커져 버린 상태를 말한다.

나도 그런 시험이 들 때가 간혹 있다. "목사님, 설교에 참 은혜가 됩니다"라고 하면 "내가 한 것이 아니고 주님이 한 것입니다"라고 말하지만 가만히 보니 우쭐해하는 나를 발견한다. 나도 모르게 주님 것을 내 것으로 잔뜩 챙기고 있었던 것이다. 이것이 쌓이고 쌓여 주님이 보이지 않을 만큼 커져 버린 것이다.

육신의 소욕과 정욕은 항상 내 것이 아닌 것을 내 것처럼 챙겨 주며 달콤한 유혹에 빠지게 한다. 어느새 나도 못 보고 주님도 보지 못하게 되어 결국 주님께서 내게 주신 것마저 모두 빼앗기고 만다.

사자는 절대 먹이를 앞에 두고 덥석 달려들지 않는다. 바짝 자기가 다가서든가, 아니면 먹이가 자기에게로 다가오기를 기다린다. 정체를 드러내지 않고 있다가 사정거리 안에 들어오면 순식간에 삼켜 버린다. 우는 사자와 같이 삼킬 자를 찾는 마귀의 사냥 방법도 동일하다.

우리는 마귀역사가 내게 얼마나 바짝 다가오고 있는지, 내가 그 곁으로 얼마나 다가가고 있는지를 분별해야 한다. 내 영적 시야를 가리며 하나님 말씀을 도전하는 세력을 키우지 말고 기도하고 성령 충만하여 하나님 말씀이 나를 끌고 가게 해야 한다. 이것이 내 영혼을 잘 지키는 일이다.

성장하는 사람은 부족함을 느낀다

바울은 항상 자신이 부족한 자임을 고백하면서 예수 그리스도의 분량만큼 부족을 느껴야 한다고 고백한다(빌 3:13~17). 바울은 죽는 그날까지 끊임없이 성장하길 원했던 것이다.

신앙생활에 부족을 느끼지 못하면 성장하는 자가 아니다. 부족을 느끼기는커녕 오히려 늘 이만하면 된다고 착각하니 정체하고 퇴보하기 마련이다. 그러므로 성장하는 사람은 부족함을 아는 겸손한 사람이요, 그 부족함을 채우지 않고는 견디지 못하는 생존 본능이 넘쳐나는 자이다. 영적으로 성장하는 사람에게 육체는 더없이 충실한 일꾼이 된다.

하지만 정체하고 퇴보하는 사람에게는 육신이 주인 노릇을 하니 신앙생활이 늘 힘들고 어렵다.

신앙생활에 싫증 난 사람, 육신의 정욕대로 살려는 사람에게는 발전이 없다. 무슨 일을 해도 오히려 퇴보시키거나 다른 사람의 성장까지도 방해하는 '불의의 병기'로 전락하고 만다.

육신대로 살면 반드시 죽고 영으로써 몸의 행실을 죽이면 산다고 했으니(롬 8:12~13) 나의 영적 관리를 육신의 생각에 맡겨서는 안 된다. 하나님의 힘과 능력에 맡겨 나를 이끌어 가게 해야 한다.

성도여, 주님 앞에 결심했던 일들을 육신의 정욕에 져서 빼앗기고 있지는 않은가? 뺏기지 말고 모조리 내 몫이 되게 하여 부지런히 성장하자.

사랑의 매

많은 범죄자들은 공통적으로 가정에서 부모로부터 올바른 교육을 받지 못하고 자란 사람들이라고 한다. 어떤 사형수가 사형 전에 마지막 소원이 무엇이냐고 묻자 어머니의 품에 한 번만 안길 수 있게 해달라고 했다.

죽기 전 마지막 소원이라고 하니 어쩔 수 없이 아들을 어머니의 품에 안기게 했다. 그런데 그 사형수가 어머니의 젖을 피가 나도록 물어뜯으면서, "당신이 나를 잘 길렀으면 이렇게 되었겠느냐, 아무리 잘못해도 항상 잘한다 잘한다 해서 이 모양이 되지 않았느냐. 당신은 내 어머니가 아니다!"라며 울부짖었다고 한다. 잘못된 가정교육의 비참한 결과를 보여주는 안타까운 사연이 아닐 수 없다.

성경은 자녀를 주의 교양과 훈계로 양육하라고 했다(엡 6:4). 자녀를 사랑한다면 내 자식의 잘못을 구석구석 찾아내어 그 잘못이 자녀의 인생을 망치지 않도록 고쳐 주어야 한다. 야단을 맞을 줄 아는 사람은 무릎 꿇고 자신의 잘못을 찾지만, 야단을 맞을 줄 모르는 사람은 그것을 인격모독으로 여긴다.

"아이를 훈계하지 아니치 말라 채찍으로 그를 때릴지라도 죽지 아니하리라 그를 채찍으로 때리면 그 영혼을 음부에서 구원하리라"(잠 23:13~14)

자녀가 잘 성장하기를 바라며 부모가 뜨거운 사랑으로 다스린다면 자녀는 그 훈계를 교훈 삼아 반드시 훌륭한 인격을 가진 사람으로 성장할 것이다.

하나님을 얻는 자

사람과의 관계에 있어서 사람을 잃는 사람이 있고 사람을 얻는 사람이 있다. 항상 성장하는 사람, 스케일이 큰 사람은 사람을 얻는 사람, 즉 모두를 품을 수 있는 사람이다. 사람의 마음을 얻지 못하면 이미 사람들 속에서 그만큼 낙오자가 된다.

하나님과의 관계에서도 어떤 사람은 살아가는 그 과정 속에서 하나님을 얻으려고, 그분의 마음에 들도록 살려고 몸부림치는 사람이 있는가 하면 그렇지 않은 사람이 있다. 우리의 신앙도 하나님이 나를 인정하지 않으시면 그만큼 낙오자가 되는 것이다.

우리가 어떤 문제에 부딪혔을 때 아무리 울고불고 몸부림을 쳐도 하나님은 침묵 속에서 묵묵부답

이실 때가 있다. 그때 우리는 '하나님이 살아 계시면 이럴 수가 있나?' 라는 원망과 함께 좌절하게 된다. 그러나 나 자신을 자세히 살펴 뒤를 돌아보면 하나님의 마음을 얻지 못할 만한 부분이 있다는 것을 발견하게 된다. 그것이 바로 죄의 담이다.

회개는 죄를 해결하여 우리가 하나님을 상대할 만한 자세로 나아가는 것을 말한다. 매일매일 하나님께 깊이 다가가는 삶, 하나님의 마음을 얻으려고 몸부림치는 진실한 삶 속에 하나님은 관심을 가지시고 그와 함께 일하신다. 하나님을 얻으려는 사람, 그는 끊임없이 나를 하나님 앞에 쓸모 있게 만들어가는 사람이요, 먼저 하늘나라와 그의 의를 구하는 자이다. 하나님을 얻은 사람! 이 세상에 무엇이 부러울 것이 있겠는가?

사모하는 마음

요즘 성도들의 신앙생활 하는 모습을 보면 예전에 비해 열정이 많이 식은 듯하다. 주님 오실 날은 날로 임박해 오는데 주님의 재림을 목마르게 기다리고 애타게 기다리는 성도가 별로 없는 것 같다.

성경에 슬기로운 다섯 처녀는 주리고 목마른 자처럼 신랑을 기다리다가 신랑이 왔을 때 함께 혼인잔치에 들어갔다. 그러나 미련한 다섯 처녀는 신랑에 대한 사모함이 없이 기름도 준비치 못하고 졸다가 혼인잔치에 들어갈 기회를 놓치고 말았다.

하늘나라에 가면 "썩어질 육신의 일은 주린 자처럼 찾으면서 영원히 살아야 할 생명의 일은 그렇게도 하찮게 여겼느냐?"라고 주님이 물으실 때, 우리는 당당하게 "아니요, 여기에 달란트가 있습니다. 한시도 쉬지 않고 주리고 목마름으로 이것을 준비했습니다" 하고 내놓을 작품이 있어야 할 것이다. 만일 주님께 드릴 것이 없다면 '악하고 게으른 종'이라는 책망을 받고 바깥 어두운 데 내쫓기는 비참한 신세가 되고 말 것이다(마 25:26~30). 주님 오신 다음에는 "그럴 줄 알았더라면…" 하고 아무리 후회해도 소용없다. 그때는 이미 돌이킬 수가 없다.

지혜로운 농부만이 봄을 놓치지 않는다. 우리는 지혜로운 농부와 같이 지금 육신이 있을 때, 주님 오시기 전에 달란트 이익을 남겨야 하고, 주님 맞을 등불을 준비하고 사모하며 기다려야 된다.

포기할 수 없는 사랑

연세중앙교회가 추구하는 교회는 신약에 나타난 초대 교회다. 성경을 절대 진리로 삼고 권세 있는 말씀 선포와 기도, 전도로 부흥했던 사도행전 속의 초대 교회를 이상으로 삼은 것이다.

'초대 교회로 돌아가자' 라는 목표 아래 오직 기도와 말씀, 영혼을 사랑하는 구령의 열정을 가지고 영혼의 때를 위한 아낌없는 충성을 드리는 것이 바로 연세중앙교회만의 색깔이요, 정체성이다.

교회의 존재 이유는 첫째도, 둘째도 영혼 구원이다. 예수님은 십자가에서 죽기까지 인류의 모든 영혼을 사랑하셨다. 십자가라는 고난 속에서 아름답게 불꽃처럼 타오르는 주님의 뜨거운 영혼 사랑! 그 구령의 열정! 메마른 황무지처럼 기대할 것이 전혀 없는 완전한 절망에서 나타난 것이 바로 하나님의 영혼 사랑이요, 척박한 땅에 씨앗을 뿌리고 그 열매를 위해 구슬땀을 흘리는 농부의 수고와 같은 것이 영혼 사랑이다.

성도여, 하나님이 지금까지 우리와 함께하시며 이루신 영혼 사랑의 결실을 바라보며 주님과 함께 기뻐하자. 그리고 영혼 사랑을 위한 수고에 더욱 박차를 가하자. 메마른 삭정이처럼 죽어가는 영혼들을 부둥켜안고 끝까지 사랑하자. 그들이 예수 안에서 새 생명을 얻을 때까지 끝까지 책임지려 하자. 포기할 수 없는 구령의 열정으로 영혼을 사랑하자.

성도를 사랑하는 마음

대심방을 통해 성도들과 얼굴을 가까이 대고 만나 보니 그동안 큰 교회 목사라는 것이 얼마나 성도들과 거리를 갖게 했는지를 알게 됐다. 비록 성도와의 물리적인 거리는 멀지만 그들을 사랑하는 목사로서의 내 마음은 예전이나 지금이나 변함이 없다고 생각했는데 막상 성도들의 형편을 자세히 살펴보니 나 혼자만의 생각이 아니었나 싶다. 특히, 병들어서 괴로워하는 성도들, 문제가 있어 고통당하는 성도들을 위해 기도할 때면 가슴이 찢어질 정도로 아파 견딜 수가 없다.

목사가 하는 일이 성도와 하나님과의 관계를 가깝게 해 주어 늘 영혼의 만족함을 채워 주는 것일진대 그렇게 다하지 못한 현재의 내 모습이 부끄럽

기만 하다. 그래서 심방예배 드릴 때마다 내가 은
혜를 제일 많이 받는 것 같다. 예배 때 전하는 말씀
들이 어떤 때는 주님의 강한 질책으로, 어떤 때는
주님의 뜨거운 위로의 목소리로 나를 감동시키니
눈물이 마르지 않는다.

성도들과의 가까운 만남이 계속될수록 나의 기
도제목은 자꾸 늘어만 간다. 통곡하며 부르짖지 않
고는 견딜 수 없을 만큼 초라한 내 모습 때문에 나
의 기도는 더 절박해지고 간절해지니 너무 감사한
일이다.

주여, 성도들과 더 가까워지게 하소서! 성도들
을 더 사랑하게 하소서! 더 기도하게 하소서! 주님
이 날 사랑하신 것처럼, 주님께서 십자가에서 살
찢고 피 흘리시기까지 나를 사랑하신 것처럼 나도
그렇게 성도들을 사랑하게 하소서!

허상의 믿음

많은 청소년들이 허상 속에서 살고 있다. 연예인들에 대한 목적 없는 동경도 바로 그 허상 때문이다. 결국 그 허상은 대학 입학이라는 현실에 부딪혀서야 깨진다. 그러나 이미 때는 늦었다.

오늘날의 많은 젊은이들이 꿈과 비전은 가지지만 그것을 현실로 만들 준비는 하지 않는다. 결국 그 꿈과 비전은 한낱 허상으로 사라질 뿐이다. 그들에게 허상을 버리고 현실을 직시할 수 있게 해 주어야 한다.

누가복음에 나오는 탕자도 자신의 분깃으로 평생 호의호식할 줄 알았다. 무엇인가 할 수 있다는 '허상'이 아버지 곁을 떠나게 한 것이다. 음부에 떨어진 부자도 자신은 아브라함의 자손이요, 선민이라는 허상의 믿음을 가지고 있었지만 그 허상의 믿음이 그를 구원하지 못했다. 우리 신앙생활도 '그냥 믿으면 잘 될 것이다' 라는 막연한 허상을 버려야 한다.

목회는 이론으로 되지 않는다. 나는 항상 하나님의 말씀 앞에 '죄는 심판 받는 것이요, 불순종은 그만큼 버림받는 것이요, 하나님을 사랑하지 않고는 하나님의 사랑을 받지 못한다. 심은 대로 거둔다' 라는 믿음의 실상 앞에 나를 냉정하게 점검하고 부족한 부분을 만들어 나간다. 허상의 믿음은 항상 나에게 관대하다. 그 관대함은 내 실상을 보지 못하게 하는 방해꾼이다.

성도여, 자기 스스로 정한 허상의 믿음을 버리고 주님과 진실히 상대할 수 있는, 하나님이 나를 인정해 주시는 믿음을 가지고 주님 앞에 서자.

감사하는 마음

주일날 나는 감사헌금 봉투에 한 주간 동안 감사의 내용들을 빽빽하게 적는다. 적다 보면 알아보기 힘들 정도의 글씨로 봉투의 앞뒤를 꽉 채우고 만다. 그때마다 나는 감사의 조건이 여전히 넘치고 있음에 감격하여 눈물을 흘리곤 한다. 그 시간이 나에게는 가장 행복한 순간이다. 그때마다 하나님으로부터 받은 은혜가 여전히 새록새록 새롭게 솟아나는 것이 그저 감사할 뿐이다.

나무가 꽃을 피우고 열매를 맺는 것은 자신에게 생명을 주는 주인에게 감사를 표현하는 것이다. 모든 만물이 열매를 맺고 꽃을 피우면서 자기의 사명을 감당하는 것은 자기를 성장하게 하신 이에 대한 감사 때문이다. 하나님을 떠난 인간만이 감사의 아름다운 꽃과 열매가 없을 뿐이다.

우리는 하나님 앞에 너무 큰 선물을 받았다. 그 갚을 길 없는 은혜 앞에 드리는 최상의 인격적인 표현이 곧 감사이고, 하나님은 그 감사의 마음을 크게 받으신다. 또한 우리의 경건의 삶도 은혜 주신 하나님이 항상 나를 지켜보고 계신다는 그분을 배려하는 감사의 마음 때문이다. 그러므로 은혜 받은 자의 당연한 도리가 감사요, 이 도리를 지키려는 신앙 인격으로 충만한 사람이 되어야 한다.

하나님께서는 우리에게 '구원'이라는 갚을 수 없는 은혜를 선물로 주셨다. 하나님 앞에 죄인 된 우리가 하나님을 상대할 수 있는 길은 '진실' 밖에 없다. 그 진실의 표현이 '감사'이다.

성도여, 주님 앞에 진실하자. 감사하자.

하나님과 함께할 피의 사람

예수의 육체에 피가 있고, 그 피 속에 생명이 있고,
그 피에 모든 죄를 사하는 권세가 있다.
하나님의 아들 예수 그리스도의 피는
인간과 하나님과의 부조화의 원인인 죄를 해결하고
하나님과 인간의 의로운 조화를 주선하였다.
하나님과 인간의 영원한 조화를 위하여
아벨의 피로부터 수많은 사람들의 제사와 짐승의 피가
성경을 얼룩지게 하였고
마침내는 하나님의 아들의 피로써
하나님과 인간과의 부조화를 종결시켰다.
이것이 바로 하나님의 인간을 향한 절실한 사랑이시다.
하나님과 우리가 영원히 끊어질 수 없는 것은
예수 그리스도의 피의 은혜요,

천사들과 세상의 어떠한 누구라도

우리를 멸시할 수 없는 것은

우리는 하나님과 조화를 이룬 피의 사람이기 때문이다.

이것이 하나님이 우리를 구원하신 비밀이다.

그러므로 우리는 하나님의 비밀인

예수 그리스도의 피의 사람이다.

구약 시내의 사람들은

짐승의 피를 들고 두려워하였으나

우리는 담대히 하나님의 아들

예수 그리스도의 피를 들고 걸어가자.

우리가 구별된 공통점은

예수 그리스도의 피의 사람이라는 것이다.

기억하라. 우리는 하나님과 함께할 영원한

피의 사람이라는 것을….

윤석전 저, 〈오직 예수〉 중에서

하나님의 지식으로 사는 사람의 왼손에는
'나는 하나님 말씀 앞에 졌다' 라는 패배의 깃발이,
오른손에는 **'하나님께서 나를 이기셨다'** 라는
승리의 깃발이 항상 펄럭거린다.

Part III

주님만 승리하는
신앙생활

Jesus, whom I will forever talk about

호두는 다른 도구를 사용하지 않고는 여간해서 깰 수가 없다. 그 껍질이 얼마나 단단하면 손에 두 개를 넣고 아무리 굴려도 맨질맨질해질 뿐 절대 깨지지 않겠는가. 또 그 속의 것이 얼마나 소중하면 이렇게 단단한 껍데기를 만들어야 했을까 생각하면 알맹이가 더욱 가치 있어 보인다.

호두가 단단한 껍데기 속에 알맹이를 품고 있듯이 하나님께서는 우리 인간을 하나님의 생기를 불어넣은 영원한 생명을 담고 있는 영적 존재로 만드셨다. 우리의 육체는 흙으로 돌아갈 보잘것없는 것이지만 생명을 담은 자로서는 천하보다 귀한 존재인 것이다. 그러므로 우리는 하나님의 귀중한 생명을 소유한 자로서 그 생명의 씨앗이 잘 영글어 아름다운 결실을 맺을 수 있도록 살아야 한다.

호두가 열매를 보호하기 위해 견고한 껍데기를 만들 듯이 세상의 어떤 고난과 어려움 속에서도 내 속의 생명만은 깨지지 않도록 '나'를 값지게 만들어 나가야 한다.

세상은 우리가 가진 소중한 생명의 터전을 위협하며 파괴하려고 한다. 나를 위협하는 날카로운 세상의 칼날로부터 내 안에 있는 생명을 가장 소중히 여기고 보호하기 위해서 우리는 견고한 믿음을 가져야 한다.

내 삶을 돌아보며 내 영혼의 때의 부유를 계수해 보자. 과연 나는 얼마나 더 견고해져 있는가?

의리 있는 자

베드로는 목숨 하나 부지하려고 예수를 세 번이나 부인했다. 저주하고 맹세까지 하면서 부인했다고 하니 우리 생각보다 더 심하게 부인한 것이 분명하다. 베드로에게는 그것이 평생 마음의 부담이 되었을 것이다. 베드로가 남은 생애를 복음에만 전념할 수 있었던 이유도 더 이상 주님과의 의리를 저버릴 수 없었기 때문이리라.

항상 잊어서는 안 될 것이 있다. 우리가 하나님과 원수 되었을 때에도 하나님은 우리를 사랑하셨고 우리를 위해 목숨을 버리는 사랑으로 그 사랑을 확증하셨으며(롬 5:8), 그 사랑이 전이나 지금이나 영원히 변치 않으신다는 것이다. 이것이 우리가 영원히 간직해야 할 첫사랑이요, 우리가 그분을 향한 의리를 저버릴 수 없는 분명한 이유이다.

주님께서는 지금도 자신의 목숨을 주신 것을 아깝지 않게 생각할 만한 의리 있는 자를 만나기를 원하신다. 우리가 베드로처럼 예수를 직접적으로 부인하지는 않지만 말씀대로 살려고 마음먹었다가 중도에 포기한 것도 주님과의 의리를 저버린 것이요, 게으름과 나태함으로 맡겨진 직분을 조금이라도 등한시했다면 그 또한 주님을 배반한 것이다.

믿음으로 세운 결심이 흔들릴 때, 주님의 변함없는 사랑을 바라보고 끝까지 의리를 지키리라 마음먹자. 하나님을 향한 의리를 굳게 지켜 그 누구보다 하나님을 기쁘시게 하는 자가 되자.

"예수여 당신의 나라에 임하실 때에 나를 생각
하소서"(눅 23:42)

우리 자신이 느끼지 못할 뿐이지 우리도 십자가
에 달린 강도와 같이 최후의 절박한 현실을 언제든
지 맞이할 수 있다는 것을 항상 기억해야 한다. 어
느 날이 나의 그 날이 될지 모른다.

성경을 보면 소출이 풍성한 한 농부가 "내 곡간
을 더 크게 짓고 내 모든 곡식과 물건을 거기 쌓아
두리라. 또 내가 내 영혼에게 이르되 영혼아 여러
해 쓸 물건을 많이 쌓아 두었으니 평안히 쉬고 먹
고 마시고 즐거워하자 하리라"고 할 때, 하나님께
서는 "어리석은 자여 오늘 밤에 네 영혼을 도로 찾
으리니 그러면 네 예비한 것이 뉘 것이 되겠느냐"

고 하셨다(눅 12:17~20).

우리 목숨은 어느 순간에 어떤 모습으로 철거당할지 모른다. 그러므로 무엇보다 급한 일은 내 영혼의 때를 위하여 "주여, 나를 생각하소서"라고 고백하며 예수를 믿는 일이다. 육체를 입고 있다는 것은 이 고백을 할 수 있는 시간이 우리에게 아직 있다는 것이요, 예수로 죄 사함을 받아 영혼의 때를 준비할 수 있는 절호의 기회라는 것이다. 이 신령한 기회는 날마다 있는 것이 아니다. 내가 알 수 없는 내 육신의 유통기한까지가 기회인 것이다.

그러므로 우리는 이 땅에서의 삶이 영혼의 때를 위한 자원, 영혼의 때를 위한 환경, 영혼의 때를 위한 조건이 되게 해야 한다. 매일매일의 삶이 하나님께 나를 기억시키는 가치 있는 삶이 되어야 한다.

은혜를 잊지 말라

하나님은 진실하신 분이기에 진실한 사람과 만나고, 거룩하신 분이기 때문에 거룩한 사람과 만나신다. 하나님은 선하시기 때문에 선한 사람과 함께 일하시고, 의로우시기 때문에 의로운 사람과 일하시고, 사랑이시기에 하나님의 사랑을 가지고 사랑하는 자와 함께 일하신다. 절대 하나님과 본질이 다른 사람은 사용하지 않으신다.

우리도 이와 같이 하나님과 동일한 본질과 특성을 가져야 하나님께 쓰임받을 수 있다. 하나님과 동질감을 형성할 수 있는 최선의 방법이 바로 감사이다. 항상 하나님을 향한 감사가 내 속에서 터져나와 쏟아질 만큼의 넘치는 감사는 하나님의 마음을 사로잡는다. 하나님을 움직이게 할 수 있는, 하

나님이 축복하시지 않고는 견딜 수 없는 하나님의
신령한 격동을 일으키는 것이 바로 감사의 힘이다.

다윗은 은혜 받은 자로서 하나님을 향한 진실을
잊어버릴까봐 자신의 영혼에게 다짐하고 또 다짐
하였다.

"내 영혼아 여호와를 송축하라 내 속에 있는 것
들아 다 그 성호를 송축하라 내 영혼아 여호와를 송
축하며 그 모든 은택을 잊지 말지어다"(시 103:1~2)

내 속에 있는 모든 것들이 하나님의 은택을 잊
지 못하도록, 그 진실한 감사가 상실되지 않기를
간절히 바라자. 내 영혼이 주님의 은택을 잊지 않
는 신령한 감사의 거룩함으로 풍성하게 하자.

뜻을 같이하는 사람

주님은 어떤 일이든지 주님의 일에 책임을 갖고 그 일을 충성스럽게 하고자 하는 자를 찾으신다. 하나님께서는 하나님의 큰일을 가슴속에 사명으로 품은 사람을 발견해 사용하신다.

하나님께서는 자기 백성이 애굽에서 고생하는 모습을 바라보며 항상 가슴 아파했던 모세를 찾으셨고 이스라엘을 애굽에서 구해내는 일에 그를 사용하셨다. 하나님께서는 하나님과 같은 뜻을 가진 사람을 찾고 쓰시고 사랑하신다.

"사랑이 없으면 내가 아무것도 아니요"(고전 13:2)라고 말씀하신 것은 하나님이 원하시는 사랑이 우리 속에 없다면 우리는 가치 없는 사람이라는 것이다. 반대로 하나님이 원하시는 사랑을 가진 사람은 하나님께서 그를 가치 있게 보신다는 말이다. 하나님이 기뻐하시고 기억하시는 값진 사랑, 곧 영혼 구원의 사랑이 가득해야 하나님께 발견되어 쓰임받는 것이다.

하나님의 질서가 인간의 눈으로 바라볼 때 도저히 이해할 수 없어 무질서해 보여도 끝까지 하나님의 도우심을 바라며 믿음을 지키는 자에게는 하나님이 개입하셔서 질서를 이루어 주신다.

하나님의 거룩한 뜻을 가진 자는 앞길이 깜깜해 보이나 밝고, 음침한 골짜기에 있는 것 같으나 아무 해도 받지 않고 어떤 장애물이라도 극복할 수 있는 것은 바로 하나님이 함께하시는 사랑의 질서 안에 있기 때문이다.

순종과 믿음

인간의 신념은 인간의 한계 내에서 가능한 일에 대한 도전과 성취이다. 불가능이 없다고 외친 수많은 사람들의 신념의 사전에는 분명 한계가 있었다. 그러나 하나님을 향한 신앙에는 어떤 제한도 한계도 있을 수 없다. 하나님은 전능하신 분이기 때문이다.

믿음은 '될 것이다'라고 하는 자기최면이 아니다. 순종이라는 행동으로 옮길 수 있느냐 없느냐의 문제이다. 도저히 인간의 능력으로는 불가능한 상황에서 하나님이 하라고 말씀하신 대로 순종하는 자가 신앙인이요, 믿음이 있는 자이다.

순종은 소극적인 자세가 아니다. 하나님의 명령 앞에 좌절하지 않고 그 일을 이루실 것이라는 것을 믿고 즉각 움직이는 가장 적극적인 행동이다. 순종하지 않는 자는 절대 하나님의 이적을 볼 수 없다.

우리가 인간의 신념으로는 할 수 없고 상상할 수 없는 큰일을 감당할 수 있는 것은 바로 하나님의 명령에 순종하는 믿음 때문이다. 또한 우리의 기도를 거절하지 않으시고 우리의 믿음에 한 번도 실망시키지 않으신 하나님이 함께하시기에 가능한 일이다.

작은 '나'를 보면 좌절한다. 무능한 '나'를 보면 할 수 없다고 판단된다. 내 안에 계신 한없이 크신 하나님만 바라봐야 한다. 무엇이든 '하나님이 하신다'라는 믿음의 각오를 갖자. 그리고 순종하자. 행동하자.

하나님이 쓰시는 사람

세상에서 가장 행복한 사람은 하나님이 쓰시는 사람이다. 하나님께서는 다양한 방법으로 우리를 사용하신다. 특별히 주님께서 주신 믿는 자의 권세를 가지고 병든 사람에게 손을 얹고 기도하여 병이 낫고, 악한 영에 매인 자를 위해 기도하여 자유를 누리게 하는 능력이 나타날 때, 내 육체는 감당할 수 없을 만큼 피곤하고 지치지만, 하나님이 나를 쓰셨다는 사실에 기쁨과 감사가 넘친다.

자기 자신만을 아끼는 사람은 하나님이 마음껏 쓰실 수가 없다. 하나님 앞에 내 모든 생각과 환경과 육체와 재물도 아낌없이 드릴 때 하나님께서 자유롭게 쓰시는 것이다.

주의 뜻대로 살겠다고 다짐해 놓고 막상 어려운

환경에 부딪혔을 때 마음이 변하는 사람도 하나님은 사용하실 수 없다. 자기 마음에 드는 일만 하겠다며 하나님의 일 중에 이것저것 고르는 사람도 마찬가지이다.

하나님께 제한 없이 쓰임받기 위해서는 하나님께서 나를 죽이는 데 사용하겠다고 하셔도, 살리는 데 사용하겠다고 하셔도 전적으로 순종해야 한다. 자신의 가치를 스스로 높게 평가하지 않고 겸손함으로 하나님이 쓰시기에 합당한 그릇으로 준비되면 하나님께서는 그 사람을 반드시 사용하신다.

아무리 깨지고 부서져도 그 가치가 변치 않는 정금과 같은 믿음을 소유하여 하나님께 발견되어야 한다.

성령으로 한계를 초월하라

　　신앙생활의 한계를 스스로 긋는 사람들이 있다.
예수님의 제자들처럼, 스데반처럼 순교에 이르기
까지 신앙생활 하리라고 마음먹는 사람은 별로 없
다. 자신이 임의로 정한 신앙의 한계선을 고정해
놓고 그 안에서만 움직이려고 한다. 왜냐하면 그
한계선을 넘어서면 당장 육신에 무리가 오고, 환경
에 무리가 오기 때문이다.

　　성령이 쓰시는 사람은 '내가 이 정도까지만 믿
으리라! 이만큼만 소화한다! 나는 그 이상은 초월
할 수 없다' 하는 신앙의 한계선을 과감히 넘어설
수 있어야 한다. 부담 없이 움직일 수 있는 정도의
선을 그어놓고는 '이 정도면 되겠지' 하는 안일한
생각을 하는 것은 성령의 소욕을 제한하려는 철없

는 육신의 요구일 뿐이다. 성령은 절대 그 선 안에서 제한당하시는 분이 아니다. 성령은 내 육신의 한계 상황밖에 보지 못하는 좁은 나를 그분 수준의 스케일에서 움직일 수 있는 사람으로 만들어 쓰시려는 것이다.

성령을 제한하지 않으면 지금도 사도행전 때와 동일한 이적과 표적의 역사가 성령으로 일어날 것이다. 그때 역사하신 성령이 지금도 여전히 믿는 자에게 역사하신다. 믿는 자의 입에서 예수의 복음이 전파될 때 성령의 권세와 능력이 나타나고, 기도할 때 응답이 오고 귀신이 떠나가고, 회개의 역사가 일어날 것이다. 나를 제한 없이 초월할 수 있는 성령의 힘으로 사는 것이 위대한 축복이요, 위대한 기업이다.

시간에는 '흘러가는' 시간과 '의미 있는' 시간 두 가지가 있다. 물리적으로 흘러가는 시간을 헬라어로 '크로노스'(chronos)라 하고, 그 흘러가는 시간 속에서 의미 있는 때를 '카이로스'(kairos)라고 한다.

예수를 믿는 우리는 이 땅에서 '세월'이라는 크로노스의 시간을 살면서 동시에 천국의 시민으로서 '카이로스'라는 천국의 시간을 사는 자들이다. 크로노스의 시간은 세월 속에 사라져 버리지만 카이로스의 시간은 영원하기에 의미가 있는 시간이다.

육신의 세월을 불필요한 데 써 버리면 아무 의미 없는 시간이지만, 그 시간을 영혼의 때를 위한 일에 쓴다면 그 시간은 모두 하나님이 기억하시는 가장 의미 있고 가치 있는 시간이 된다는 것이다. 영원한 때를 위해 산다는 것은 바로 크로노스의 시간을 카이로스라는 의미 있는 시간들로 만들어가는 것이다. 크로노스의 시간은 누구에게나 공평하게 주어지지만, 카이로스의 시간은 내가 부지런히 만들고 가꾸어야 할 시간이다.

과연 나는 얼마나 많은 세월 속의 시간들을 영혼의 때를 위한 시간으로 사용하였는가? 주님과 만나는 그날, 영원한 카이로스의 시간이 펼쳐질 그때에 우리는 이 땅의 세월의 시간들로 추수한 고함량 고품질의 열매를 풍성히 내어 드릴 수 있는가?

신앙생활의 성공 비결은 '나를 잘 아는 것' 이다. 나를 잘 알되, 내가 나를 알아서는 안 되고 하나님의 지식으로 나를 알아야 한다. 교만의 죄는 하나님의 지식으로 나를 보지 않고 내가 나를 보기 때문에 짓게 된다.

하나님의 지식으로 나를 발견한 사람은 "나는 온통 죄악 투성이요, '나' 라는 한계를 벗어날 수 없는 무능한 자요, 그 한계를 초월할 수 있는 분은 하나님밖에 없다"라고 고백하는 사람이다.

또한, 이 세상에서 최고의 지식은 하나님 말씀뿐임을 발견한 사람이요, 평생 하나님 말씀에만 압도당하리라 작정한 사람이다. 그리고 내가 잘못 사는 것을 방관하지 않으시고 나를 장악하여 끝까지 진리로 책임지시고 인도하시는 분이 성령 하나님임을 인정하는 사람이다.

그러므로 하나님의 지식으로 사는 사람의 왼손에는 '나는 하나님 말씀 앞에 졌다' 라는 패배의 깃발이, 오른손에는 '하나님께서 나를 이기셨다' 라는 승리의 깃발이 항상 펄럭거린다. 이 사람은 항상 "나는 패배했습니다. 주님만 승리하셨습니다" 라는 최고의 겸손의 고백으로 살아간다.

우리는 "주여, 나에게서 승리하시옵소서. 하나님 말씀과 반대되는 나를 쳐부수고 당신의 승리의 기를 꽂아 주시옵소서!" 하는 패배와 승리가 교차하는 기도를 통해 평생 주님만 승리하시게 하여 신앙생활에 성공하는 자가 되자.

살리려는 강한 본능

성경을 보면 여리고에서 강도를 만난 사람의 이야기가 나온다. 거반 죽어가고 있는 그를 레위 사람이 지나가다가 보았다. 마음속에는 '저 사람을 살려주어야 하는데…' 하는 본능이 있었지만, 그는 강도 만난 사람을 도울 힘이 없었다.

제사장도 그곳을 지나가면서 똑같은 마음이었지만, '만약 그를 도와주다가 다시 강도가 쫓아와서 나도 저런 일을 당하면 어찌하나?' 하는 두려움 때문에 죽어가는 사람을 보고도 외면하고 지나가고 말았다.

그런데 사마리아 사람은 지나가다가 그를 보는 순간, 자기도 강도의 위험에 처할 수 있지만, 그보다 죽어가는 사람을 살려야 되겠다는 본능이 더 강했기 때문에 그를 도와주었다. 이와 같이 그 사람을 살려야 되겠다는 본능이 불탈 때, 내가 죽을지라도 그 사람을 살려내고 싶은 마음으로 전하는 것이 복음이다.

하나님도 지옥 가는 인간의 영혼을 바라보고 가만히 계실 수 없어서, 살려야겠다는 강한 성품 때문에 아들을 보내어 십자가에 죽게 하시고 우리 인간을 살리셨다.

우리 속에도 이런 하나님의 심정과 같은 전도의 본능이 있어야 한다. 우리가 주를 위해서 하는 모든 일들이 내 영혼의 갈증과 주림을 현장에서 해결하고 채우는 일이라는 것을 느끼고 행하는 사람만이 모든 신앙생활에서 정복자, 승리자가 될 수 있다.

부활의 영광

'부활'이라는 말에는 항상 '승리', '영광'이라는 단어가 함께 사용된다. 부활은 승리요, 영광이다. 승리는 싸움의 대상이 있다는 것이요, 영광은 싸움에서 승리한 자에게만 주어지는 명예이다. 승리가 없다면 영광도 없다. 그러므로 우리가 부활의 이면에 존재하는 보이지 않는 영적 싸움의 실체를 보지 않고는 부활의 진정한 의미를 알 수 없다.

부활의 영적 실체를 발견한 자라면 십자가에 달리신 예수의 고난을 '얼마나 아프셨을까' 하는 정도의 동정심으로 그칠 수 없고 '사랑', '희생정신'이라는 모호한 의미로 인식되는 것도 용납할 수 없다.

부활의 사건은 예수의 고난과 죽음의 대가로 이

루신 영적 싸움의 승리의 소식이며, 우리를 죄의 종으로 영원히 결박시켜 멸망시키려는 영적 세력, 곧 마귀로부터 오는 저주, 질병, 죽음으로부터 완전한 자유를 선포하는 해방의 소식이다. 영원한 죽음의 골짜기에서 들려오던 처절한 비명이 기쁨의 환호성으로 바뀌는 결정적인 승리의 사건이다.

우리는 부활의 최대 수혜자이며 주인공으로서 부활을 맞이해야 한다. 그와 함께 우리는 다시 하나님의 계명을 지키는 자, 예수의 증거를 가진 자로서 영적 싸움의 선봉에 서야 한다. 부활의 권세를 힘입어 예수와 동일한 부활의 영광, 영원한 면류관의 영광을 위해 예수와 함께하는 삶을 살아야 한다.

영성 회복을 바라며

신학대학교에서 강의할 때마다 느끼는 것은 신학생들의 '영성'에 대한 관심과 열기가 기대 이상이라는 것이다. 설교가 아닌 강의임에도 불구하고 마치 부흥회의 절정을 방불케 할 정도로 강의실은 학생들의 아멘 소리와 통성기도로 연일 들썩거린다. 매주 갈급하고 메마른 젊은 예비 목회자들의 심령에 영적 변화가 불 일듯 일어나는 것을 보면서 교단의 미래를 보았고, 한국 교회의 희망을 본다.

인간의 지식이 마치 한계가 없는 것처럼 발전을 거듭하고 있는 지식 정보화 시대. 그러나 물질의 풍족함이 영혼의 문제를 해결하지 못하듯이 인간의 지식 또한 영혼의 공허함을 채우지는 못한다. 오히려 그로 인해 복음의 본질과 순수성이 훼손되고 교회는 더 세속화될 뿐이다.

한때 기독교가 절정을 이루었던 유럽 교회가 박제처럼 유명무실해진 것처럼 한국 교회도 지성과 이성으로 포장된 인본주의에 의해 영혼 살리는 생명력은 고사(枯死) 직전이라고 한다. 예수만이 길이요, 진리요, 생명이라는 말씀을 망각하고 예수, 성령, 죄, 십자가, 지옥, 천국, 구원, 영생과 같은 영적인 화제가 사라진 강단의 설교는 성도들의 심령을 황폐화시키고 있다. 참으로 통탄할 일이다.

신앙생활이 곧 영적 생활이다. '영성'은 기독교의 심장과 같다. 영성 회복은 지성과 이성으로는 절대 불가능하다. 오직 하나님의 생명의 말씀과 거룩한 성령의 능력으로만 가능하다.

하나님의 섭리 속에 거하는 성도

신앙생활보다 쉬우면서도 어려운 일은 없다. 하나님께서는 신앙생활을 단 한 가지라도 우리에게 스스로 알아서 하라고 하지 않으셨다. 성경에 하라고 하신 대로만 신앙생활 하면 되니 이보다 쉬운 일은 없다. 충성하라 하셨으니 하면 되고, 감사하라 하셨으니 그렇게 하면 되고 기도하라 하셨으니 기도하면 된다.

그런데 이렇게 쉬운 신앙생활을 잘하지 못하는 것은 방해자가 있기 때문이다. 하나님께서 하지 말라는 것은 더 하고 싶고, 하라는 것은 하기 싫어서 어려운 것이다. 이 방해자의 존재를 모르면 신앙생활은 항상 어렵다.

이 방해자를 이기기 위해서는 내 스스로 신념의

믿음이 아닌 하나님이 인정해 주시는 신앙의 믿음이 있어야 한다. 신앙의 믿음이란 하나님이 나에게 성령으로 감동을 주시고 깨닫게 하시고 알게 하실 수 있는 영적 섭리의 범위 안에 항상 나를 두는 믿음이다. 하나님이 간섭하시고 참견하시는 섭리 안에 나를 둘 때, 현실에서는 모순처럼 보이나 그것이 진리요, 부자유한 것 같으나 그것이 참된 자유임을 알게 된다.

성도여, '전도해야겠다, 기도해야겠다, 충성해야겠다, 감사해야겠다'는 감동이 오거든 지체하지 말고 순종하자. 그러한 감동은 지금 내가 하나님의 귀한 섭리 속에 있다는 증거이다. 나를 하나님의 섭리에 과감히 동참하게 하자. 이것이 승리하는 신앙생활의 비결이다.

예수에 대해 가장 잘 아는 분이 성령이시다. 예수의 탄생부터 부활까지를 지켜본 분이 성령이시기 때문이다. 그리고 예수께서는 우리에게 '성령이 임하시면 권능을 받아 땅끝까지 내 증인이 되라'고 하셨다. 그 말씀대로 마가 다락방에서 성령을 받은 제자와 사도들의 삶은 성령과 함께한 삶 그 자체였다. 그래서 사도행전을 '성령행전'이라 부르기도 한다.

요한계시록에는 '생명책'이란 말이 나온다. "또 내가 보니 죽은 자들이 무론대소하고 그 보좌 앞에 섰는데 책들이 펴 있고 또 다른 책이 펴졌으니 곧 생명책이라 죽은 자들이 자기 행위를 따라 책들에 기록된 대로 심판을 받으니"(계 20:12)

우리가 이 땅에서 산 모든 일이 생명책에 기록되고 있으며 최후에 그 책에 기록된 대로 심판을 받는다고 했다. 그렇다면 이 생명책에 무슨 내용들이 기록되어져야 할까? 사도행전처럼 성령과 함께한 이야기들로만 가득 채워져야 할 것이다.

그러나 그것도 내가 하는 것이 아니다. 예수를 전하지 않으면 견딜 수 없게 하시는 이도 성령이시요, 은사를 주시어 충성하게 하신 이도 성령이시요, 내 성품을 그리스도를 닮게 만드시는 이도 성령이시니 생명책에 기록될 내 신앙의 이력서는 성령의 이력서일 뿐이다. 이 사실을 고백하며 모든 영광을 하나님께 돌리는 그 날을 생각하면 얼마나 감격스러운가.

성령이여, 나를 더 알뜰하게 쓰시옵소서! 영원히 주님께 기억되는 날들로 매일매일 살게 하소서!

프로 근성과 열정

하나님은 하늘의 신령한 꿈을 가진 자를 쓰신다. 세상에서도 프로의 기질과 근성을 가진 사람이 크게 성공하는 것처럼 하나님이 주신 사명을 감당하기 위해서는 철저한 프로 근성이 있어야 한다.

그러기 위해서는 우선 죄로 저주로 질병으로 우리를 죽이려고 하는 원수와 피 흘리기까지 다투어 예수 이름으로 이기려는 승부 근성부터 가져야 한다.

그 다음이 내가 받은 예수 그리스도의 사랑과 구원의 소식을 전하고 싶어 견딜 수 없는 전도의 근성이다. 구원의 소리에 귀 기울이지 않아 멸망당하는 사람들을 바라볼 때 차라리 내가 맞아 죽더라도 그들을 설득시키고 싶은 열정과 근성이 지독하

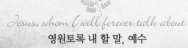

Jesus, whom I will forever talk about

리만큼 내 안에 있어야 한다.

하지만 이 근성들은 육신의 소욕으로 가득 찬 나로서는 절대 가질 수 없는, 하나님의 일방적인 은혜로 주시는 하늘에서 오는 신령한 근성이다.

우리는 신령한 근성을 사모해야 한다. 예수와 같이 병을 고치고 귀신을 쫓아내고 영혼 구원을 위하여 자기 목숨을 값지게 사용하려는 근성, 하늘나라를 기어이 움켜쥐려고 하는 근성, 주님 앞에 설 때에 영원한 면류관으로 최고의 칭찬을 받으려는 근성에 이르기까지 오직 성령으로 하나님과 마음이 합한 자가 되어 하나님의 큰일을 이루는 큰사람이 되기를 사모해야 한다. 신령한 영적 프로 근성과 열정으로 나를 채워야 한다

축복의 기회를 얻는 신앙

나무가 순종의 결과로 열매를 맺는 것처럼 사람들도 누구나 소망을 가지고, 그 소망대로 인생에서 어떤 열매를 맺기를 바란다. 그 소망이 생명 없는 것이라면 열매 없는 무화과나무처럼 죽은 작품을 낼 것이요, 산 소망을 가진 자는 다섯 달란트와 두 달란트를 받은 자처럼 신령한 축복의 열매를 맺을 것이다.

나무는 비록 그 열매가 없어도 다음 해를 기대할 수 있지만 우리 인생은 단 한 번밖에 기회가 없다. 하나님께서는 그런 인생을 사는 우리에게 성경이라는 풍부한 자원을 주시고 그 속의 모든 것을 기회로 주셨다. 하지만 많은 사람들이 그것을 기회로 알지 못하고 하나의 옛날이야기, 다른 사람에게 주어졌던 기회로 여기기 때문에 그 기회를 놓치고 만다. 또한 자기 자신을 포기하지 않고 그 기회만을 욕심낸다면 그 역시 열매 맺지 못한다.

예수께서 승천하실 때에 500여 명의 사람들이 그 광경을 직접 지켜보았지만, 목숨의 위협을 느낀 380여 명은 스스로 기회를 포기했다. 그러나 자기 목숨까지도 내놓고 마가 다락방에 모여 전심으로 기도한 사람들은 성령을 충만히 받는 최고의 기회를 잡았다.

이처럼 자기를 부인하고 주님만 의지할 때, 하나님께서는 가장 위대한 기회를 주시고 우리 인생을 풍성한 열매로 축복해 주신다. 하나님을 향한 순종이 곧 소망이요, 축복인 것이다.

신령한 체험

사도 바울은 다메섹에서 예수를 뜨겁게 체험으로 만난 이후부터 복음 전도자로서 수없는 고난을 당했다. 매를 맞고 목숨의 위협을 당하는 혹독한 체험을 당하면서도 죽을 때까지 그 고난의 파도를 피하지 않고 거침없이 복음을 위해 묵묵히 헤쳐 나 갔기에 바울은 기독교 역사상 가장 위대한 복음전 도자가 될 수 있었다.

아무데서나 편안히 자란 나무는 별로 가치가 없지만 백두산이나 한라산 꼭대기 바위틈에서 자란 나무의 분재는 그 값을 매길 수 없을 만큼 비싸다. 온갖 고난을 이겨낸 것을 가치 있게 보기 때문이다. 믿음의 세계에서도 바울과 같이 고난을 체험한 신앙이 더 가치가 있다. 무엇보다 바울은 자기가

당한 고난보다 장차 다가올 영광의 면류관이 더 가
치 있다는 것을 알았기 때문에 그 고난의 체험이
두렵지 않았던 것이다.

그러므로 우리에게 주님으로부터 부르심을 입
고 가야 할 맡겨진 사명의 길이 있다면, 또한 그
길이 이 세상 무엇보다 영광스러운 길이라고 믿는
다면 다가올 고난을 두려워하여 주저하지 말아야
한다.

신앙은 이론이 아니라 체험 속에서 얻어지는 현
실이다. 그러므로 우리는 기도할 때 응답의 체험이
있어야 하고, 찬양할 때 은혜 받는 체험이 있어야
하고, 전도할 때 영혼을 살리는 체험이 있어야 한
다. 이 신령한 승리의 체험이 내 인생이 다하는 그
날까지 날마다 내 삶을 영광스럽게 장식할 수 있기
를 바란다.

신앙을 지키는 힘

성경은 하늘에서 쫓겨난 악한 마귀가 하나님의 계명을 지키는 자들, 예수 그리스도의 복음을 증거하는 자들과 싸우려고 바다 모래 위에 섰다고 하면서 이 땅에서 벌어지는 치열한 영적 전투의 현실을 정확히 알려주고 있다.

그런데 이러한 싸움이 권투 선수가 링 위에서 상대를 공격하듯이 하는 것이 아니라 자신의 정체를 드러내지 않고 알맹이만 쏙 빼먹는 비열한 방법을 쓴다는 것이 문제다. 땅콩 농사를 지을 때 보면 쥐는 용하게도 익은 땅콩을 먼저 알고 쥐구멍 안으로 가져다가 쌓아 놓는다. 어쩌다 쥐구멍을 파 보면 알맹이만 쏙 빼먹고 남은 껍질만 있다.

마귀의 공격도 마찬가지이다. 말씀 듣고 싶은

마음, 기도하고 싶은 마음, 감사하고 싶은 마음, 전도하고 싶은 마음을 모두 파먹어 그리스도인들을 계명대로 살지 못하는 빈껍데기 신자로 만들고, 교회 역시 구령의 열정을 쏙 뽑아 버려 전도를 못 하게 해서 교회 문을 닫게 한다.

구령의 열정이 사라진 교회는 쓸모없는 건물일 뿐이다. 그러므로 악한 마귀가 절대 건드릴 수 없도록 하나님의 전신갑주로 무장하여 말씀대로 살려는 신앙을 지켜야 하고, 구령의 열정이 꺼지지 않게 해야 한다. 책가방 들고 교회만 왔다 갔다 하지 말고 예수 믿는 자가 되라는 말은 바로 껍데기 신자가 아닌 속이 꽉 찬 믿음의 사람이 되라는 말이다.

영의 생각

많은 사람들은 땅에서 잘 먹고 잘 살려는 한 가지 생각, 즉 육신이 편하고 부유하고 이 세상의 문화를 즐기며 행복하게 사는 것이 전부라고 생각한다. 그런데 하나님께서는 그것이 전부라고 하지 않으셨다. 인간은 영원히 죽지 않는 영혼이 있다는 것과 그 영혼의 때를 준비하면서 살아야 하는 영의 생각이 하나 더 있다는 것이다. 또한 육신의 생각은 그 결과가 사망이지만 영의 생각은 영원한 생명과 평안이라고 말씀하셨다(롬 8:6).

그러나 정작 우리 인간은 육신만을 사랑하고 그 일만을 도모하며 살기 원하기 때문에 영혼에 대해서는 무관심하다. '배고프면 밥 먹여라, 벗었으면 옷 입혀라, 목마르면 마시게 하라'는 육신의 감각적인 요청에는 그토록 민감한데 영혼의 다급한 요청에는 무감각하니 참으로 안타까운 일이다.

우리의 영혼은 이 땅의 어떤 것으로도 만족할 수 없다. "예수 믿으세요"라는 이 한마디는 죄로 인해 하나님과의 단절 속에서 잠들어 있는 내 영혼을 살리는 복된 생명의 소리이다. 육의 생각이 아닌 영의 생각으로 살라고 외치시는 하나님의 사랑의 음성이다. 영의 생각으로 하나님이 창조하신 원래의 온전한 모습을 되찾으라는 하나님의 간절한 소망이다.

이 부르심의 소리에 내 영혼의 잠든 생각을 깨워 내 영혼의 때를 생각하고 소망하며 그 날을 위해 가치 있는 삶을 살자.

아름다운 나무

나무에게 가장 귀한 것은 일 년 내내 수고해서 열매를 맺는 것이다. 그런데 열매를 맺는다고 해서 그 열매가 절대 자기의 것은 아니다. 사람들이 와서 다 따 먹어도 내년에 또 열매를 내고, 그 다음 해도 또 열매를 낸다. 나무는 원망하지 않는다. 오히려 더 많은 열매를 맺어 주인을 즐겁게 한다.

그러나 겨울나무를 보면 잎과 열매가 다 떨어져 가지만 앙상할 뿐 아무런 생산력이 없다. 오히려 관리해 주고 잘 싸매 주어야 한다.

우리는 겨울나무처럼 생산력 없는 자가 되지 말고, 남들이 보호해 주어야 하는 사람이 되지 말고, 잎이 무성한 여름 나무처럼 많은 사람들에게 그늘을 제공하여 그 아래서 더위를 식힐 수 있고, 많은 열매를 내서 모든 사람에게 기쁨을 줄 수 있는 사람이 되어야 한다.

우리가 성령이 충만하면 하나님께 더 드리고 싶고, 이웃에게도 주고 싶어진다. 기도하고 싶고, 전도하고 싶고, 충성하고 싶고, 모든 것을 주고 싶은 생각으로 가득해진다.

겨울나무들이 새봄을 맞아 푸른 생명으로 다시 태어나고 왕성한 생명력으로 충만한 것처럼 우리의 믿음과 신앙도 아름답게 활짝 피어나기를 바란다. 그 생명이 넘치고 넘쳐 사랑하는 이웃들의 영적 쉼터가 되고, 인생의 참된 열매를 주는 아름다운 한 그루의 나무가 되어야 한다.

하나님의 기쁨

잔치란 기쁜 일이 있을 때에 음식을 차려 놓고 여러 사람이 모여 즐기는 일을 말한다. 우리가 하나님께 드리는 예배도 이런 잔치처럼 항상 기대가 되고, 흥분되고, 즐겁고, 활기차다면 얼마나 좋겠는가? 이 땅의 모든 교회의 분위기가 매일 잔칫집 같이 사람들이 모여드는 곳이면 얼마나 좋겠는가?

교회의 가장 이상적 모델인 초대 교회가 바로 날마다 마음을 같이하여 성전에 모이기를 힘쓰고 집에서 떡을 떼며 기쁨과 순전한 마음으로 음식을 먹고 하나님을 찬미하였다고 한다. 정말 제대로 된 잔칫집 분위기였을 것이다. 또한, 그 잔치에 구원받는 사람이 날마다 늘어났다고 하니 이 얼마나 기쁘고 즐거운 잔치인가? 그렇다. 하나님이 베푸시는 잔치가 기쁘고 즐거운 것은 '구원'이라는 기쁜 소식이 있기 때문이요, 초청받은 자가 객이 아니라 곧 주인공이기 때문이다.

그러나 무엇보다도 이 잔치의 즐거움은 바로 기뻐하시는 하나님께 있다. 거절하고, 외면하는 사람들까지도 강권해서 이 천국 잔치에 초청해 참여시키기를 원하는 것이 곧 하나님의 심정이요, 기쁨이라는 것이다.

"너의 하나님 여호와가 너의 가운데 계시니 그는 구원을 베푸실 전능자시라 그가 너로 인하여 기쁨을 이기지 못하여 하시며 너를 잠잠히 사랑하시며 너로 인하여 즐거이 부르며 기뻐하시리라 하리라"(습 3:17)

살려는 생각

예수 믿는 자들을 핍박하고 죽이는 것은 유대 교회 교리로나 율법 안에서 너무도 당연한 일이었기에 바울은 스데반을 돌로 쳐 죽이는 일에 찬성하며 그 일을 진두지휘했다. 그런 그가 어떻게 그렇게 달라질 수 있었을까? 다메섹으로 가는 길에서 "네가 어찌하여 나를 핍박하느냐"라는 예수의 음성을 듣게 된 후부터였다.

그 순간 하나님께서는 바울의 잘못된 육신의 생각을 생명을 택하는 방향으로 바꾸셨다. 멸망할 지식이 영원히 영생할 지식으로 바뀐 것이다. 이처럼 생각이 바뀌면 행동이 바뀌고, 그 바뀐 행동 속에서 하나님이 원하시는 기쁘신 뜻대로 살아갈 수 있다. 하나님이 원하시고 기뻐하시는 뜻대로 살아가

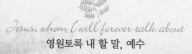

는 자에게 참된 소망이 있고 꿈도 있는 것이다.

그러므로 우리는 이 세상에 사는 동안 어떤 일이 있어도 육신의 생각으로 인해 자신을 절망으로 끌고 가서는 안 된다. 하나님의 생각과 다른 생각을 가지고 있으면서도 끝까지 내 생각이 옳다고 주장하며 자기 생애를 거기에 내던지는 것은 무모한 일이다.

바울처럼 예수의 소리가 들려올 때 생명을 향한 방향으로, 살려는 생각으로 나를 돌이켜야 한다. 하나님의 뜻을 벗어나거나, 말씀을 떠나 하나님을 인정하지 않을 때일수록 더욱 나를 부르시는 주님의 음성에 귀를 기울일 수 있어야 한다.

주여, 내가 언제나 살려는 생각을 선택하게 하소서!

예수 그리스도의 최후의 요구

성경에 하나님 아버지는 농부시요,

예수 그리스도는 포도나무라고 비유하시고

우리의 존재는 그 나무의 가지라고 표현하셨다.

나뭇가지가 나무에 붙어 있지 아니하면 죽은 것과 같다.

우리는 예수 그리스도가 공급하시는

생명으로 살아가고

예수 그리스도가 공급하시는 힘으로

열매를 맺는 것이다(행 3:1~8).

무지한 제자 베드로가 무엇을 할 수 있는 사람인가?

그러나 예수 그리스도에게 붙어

예수 그리스도의 특성이 나타나니

예수 그리스도의 생애에 하셨던

이적도 능력도 나타내 보이고

예수 그리스도가 전도하실 때에 나타났던

전도의 이적이 나타나는 것은

곧 예수의 사람임을 나타내는 표적인 것이다(행 2:37~41).

이것이 바로 예수 그리스도에게 붙어 있는 가지요,

예수 그리스도께서 공급하시는 힘으로

역사하는 작품임을 천지간에 아무도 부인할 수 없는 것이다.

사랑하는 성도여,

하나님은 농부와 같이 때가 되면 결산하려고 하신다.

인생의 뒤를 뒤돌아보면서

최후에 심판이 오기 전에 최후에 종말이 오기 전에

예수 그리스도가 공급하시는 능력으로

예수 그리스도의 사역을 하자.

예수 그리스도 사역은 이것이니

예수 그리스도의 생애를

성령으로 제자들과 같이 재현하는 것이다.

이것이 예수 그리스도의 최후의 요구이시다.

윤석전 저, 〈말씀의 능력〉 중에서

예수님께서 내 죄를 위해 십자가에서
고난당하시고 죽으시고 부활하셨다는
이 진실만을 전하는 것이 내가 해야 할 일이다.
주여, 죽을 때까지
성령으로 예수만 말하게 하소서!
성령으로 예수만 드러내게 하소서!

Part IV

영원토록
내 할 말, 예수

Jesus, whom I will forever talk about

우리는 하나님 앞에 너무나 소중한 사람들이다. 우리 한 사람, 한 사람을 천하보다 귀하게 여겨 주시는 분은 하나님밖에 없으시다. 인간의 참혹한 멸망을 바라보신 하나님께서는 자기 아들은 죽을지라도 우리만은 살기를 바라신 것이다.

하나님께서 우리를 얼마나 소중하게 여기셨으면 하나뿐인 아들의 목숨을 지불해서라도 우리 인간이 살기를 바라셨겠는가? 우리는 하나님으로부터 측량할 수 없는 사랑을 받은 사람들이다.

이 세상에서 하나님을 가장 가슴 아프게 하는 사람이 있다면 그는 바로 하나님의 사랑을 거부하는 사람이다. 우리는 하나님의 사랑을 받을 줄 알아야 한다. 사랑은 상대방이 받은 만큼 그 사랑을 표현할 때 더 주고 싶은 것이다.

복음 전도는 우리가 할 수 있는 하나님의 사랑에 대한 표현이다. 하나님의 사랑을 모르는 자들이 그 사랑을 만나 살게 해 주는 것이 곧 전도인 것이다.

예수 십자가의 피 공로는 인간을 향한 하나님의 사랑의 절정이다. 인간은 그 사랑을 받아야만 천국에 갈 수 있고, 그 사랑 때문에 한 사람, 한 사람이 소중한 것이다. 우리는 소중한 하나님의 사랑을 받아들일 줄 아는 믿음의 사람이 되어야 한다.

나는 담임 목사로서 우리 교회가 세계적으로 가장 신앙생활하기 좋은 환경이 되기를 바라는 마음이 간절하다. 신앙생활하기 좋은 환경이란 영적인 신령한 양식이 넘치고 신령한 음료가 넘치고 신령한 의복이 항상 넘치는 교회를 말한다.

교회에 신령한 양식이 넘치게 하는 방법은 다름 아닌 예수로 충만하게 하는 것이다. "예수로 옷 입어라" 하신 말씀과(롬 13:14), "내 살을 받아 먹어라. 내 피를 받아 마셔라" 하신 말씀처럼(요 6:53) 예수로 말미암은 신령한 의복과 양식이 교회에 넘치게 해야 한다.

누구든지 어떤 죄라 할지라도 그 죄를 모조리 하나님 앞에 끄집어 내놓으면 바로 거기서 예수의 피 공로가 샘솟듯 철철 넘치고 영원한 예수의 옷을 입을 수 있다. 아무리 좋은 의복도 오래 입으면 찢어지고 뜯어지고 해어지고 유행이 지나가고 헌 것이 되지만, 예수 그리스도의 살과 피는 영원히 유행을 타지 않는 멋진 것이다.

우리나라 사람들이 날마다 밥을 주식으로 먹을지라도 입에 물리지 않고 김치가 입에 물리지 않는 것처럼, 우리 영혼은 예수의 살과 피를 항상 먹고 마셔야 영적 주림과 갈증을 해결할 수 있다.

예수의 살과 피는 우리 영혼에 절대적으로 필요한 영원한 양식이다. 성도들의 주리고 목마른 심령을 채워주는 교회가 부흥된다. 나는 우리 교회가 주리고 목마른 자들이 모일 때마다 그들의 심령을 만족하게 채워주는 신령한 부유가 넘치는 교회가 되기를 바란다.

왕으로 오신 예수

"유대인의 왕으로 나신 이가 어디 계시뇨"(마 2:2)

동방박사들이 한 말이다. 헤롯 왕도 "그리스도가 어디서 나겠느뇨?"라고 물었다. '그리스도'라는 말은 기름을 붓는다는 뜻으로, 왕을 세울 때 기름을 부었으므로 역시 '왕'이라는 말이다. 동방박사가 드렸던 황금과 유향과 몰약도 왕에게 진상하는 물건들이다. 동방박사도 헤롯 왕도 예수를 왕으로 인정했다는 것이다.

하지만 헤롯 왕은 예수를 자신의 왕권을 빼앗아가는 왕으로 알았기에 예수를 죽이려고 온 예루살렘을 소동케 했다. 그러나 예수는 세상 왕이 되기 위해 오신 분이 아니라 우리의 질병과 저주와 죽음으로 인한 영원한 멸망을 해결하기 위해서 이 땅에

오셨다.

이 세상 임금의 권세를 물리치신 능력의 왕, 인간의 멸망당하는 모습을 볼 수 없어 친히 십자가에 달려 죽으시기까지 기어이 우리를 구하시려는 사랑의 왕으로 오셨다. 그렇기 때문에 세상은 왕이신 예수의 탄생 앞에 두려워 떨며 소동한다.

오늘날도 성탄을 맞으며 여전히 소동이 일어나고 있다. 향락과 쾌락으로 광란의 소동을 일으켜 사람들로 하여금 왕 되신 예수의 소식을 듣지 못하게 하는 것이다. 성탄을 맞으며 어떤 소동이 내 안에서 일어나야 하는가? 세상의 타락한 문화에 휩싸이지 말고 내 죄를 담당하기 위해 죽으러 이 땅에 오신 예수의 성탄을 심령 속에 받아들여 성탄의 목적이 내게 이루어지게 하자!

선택의 기로

　예수를 십자가에 못 박으라는 군중의 아우성치는 소리가 노도와 같이 파도치고 있을 때, 빌라도는 예수에게서 죽일 만한 죄를 찾지 못했다. 빌라도가 예수와 바라바 중에 누구를 놓아주기 원하는지를 묻자 군중들은 만장일치로 바라바를 놓아달라고 했고 법정을 뒤엎을 것처럼 예수를 십자가에 못 박으라고 계속 외쳐댄다.

　행악자 바라바는 풀어 달라 하고, 죄 없는 하나님의 아들 예수는 죽여야 한다는 것이다. 결국 빌라도는 민란이 두려워 죄 없는 예수를 군중의 손에 넘기고 말았다.

　지금도 바라바를 택할 것이냐, 예수를 택할 것이냐 하는 선택의 길은 우리 앞에 수없이 놓여진다. 하나님께서는 예수 그리스도를 이 땅에 보내시고 구원이라는 선택의 기회를 주셨다. 믿으면 영생할 것이요, 부인하면 멸망한다는 것이다. 또한 믿는 자로서 하나님의 뜻과 세상의 방법 중 하나를 선택해야 한다. 옳고 변함이 없는 진리의 길이라면 그 선택에 주저함이 없어야 한다.

세월은 가고 있다. 가는 세월을 올바른 선택으로 값지게 만들어야 한다. 나의 선택권이 소멸하고 하나님 말씀의 심판이라는 선택만이 있는 그 때에 과연 나는 어느 편에 있어야 하는가를 생각하고 항상 길이요, 진리요, 생명이신 예수만을 선택하자. 선택한 것을 끝까지 품고 달려가자. 예수와 함께한 세월이 있어 행복한 자가 되자.

예수님의 고난

주님의 고난은 십자가라는 중대사를 앞두고 기도하셨던 겟세마네 동산에서부터 사랑하는 제자의 배신과 함께 시작되어 결국 죽음으로까지 이어졌다. 이 고난의 코스는 사실 죄인 된 우리가 가야 할 길이었다.

그러나 주님은 "내가 대신 가니 너희는 오지 말라"고 하시며 그 고난의 길을 자처하셨다. 주님은 하나님의 아들로서 가진 모든 능력을 다 내려놓으시고 그 길을 가셨다. 가야바의 안뜰에서 살점이 떨어져 나가는 모진 채찍의 고통을 참으셨고, 가시관을 쓰시고 침 뱉음과 조롱과 멸시를 침묵으로 담당하셨고, 거친 십자가를 연약한 어깨에 짊어지시고 골고다 언덕을 걸어가셨으며 그 십자가에서 처

참히 죽으셨다.

그 이유는 단 한 가지, 바로 죄에서 우리를 구원하시겠다는 사랑 때문이었다. 그 고통의 현장에서 들려오는 고난의 신음소리는 우리를 사랑하기 위해 주님이 온몸에서 토해내는 피의 소리요, 그 처절한 핏소리는 죄와 저주에서 고난 받고 있는 우리가 찾고 만나야 하는 절대적인 생명의 소리요, 은혜의 소리였던 것이다.

예수의 고난 때문에 견딜 수 없이 가슴 아파해야 할 자가 누구인가? 또한 가장 즐거워해야 할 자가 누구인가? 바로 구원의 은혜를 받은 우리이다. 주님의 고난의 현장은 이처럼 슬픔과 기쁨이 절정을 이루며 공존하는 곳이다. 예수의 고난 앞에 흘리는 우리의 눈물도 그러하다.

가야바의 안뜰과 바깥뜰

예수님이 고난을 당하셨던 가야바의 안뜰과 베드로가 자신을 숨기던 바깥뜰은 배신하는 제자와 스승의 만남을 넘어선 죄인과 그를 살리려는 하나님의 사랑이 교차하는 현장이다.

예수를 부인하는 제자의 모습은 마땅히 죄로 죽어야 할 인간이 죄 없다 하는 모습이다. 반면 죄가 없는 하나님의 아들 예수는 죄가 있는 것처럼 모진 매를 맞으며 죄인임을 자처하고 있으니 이 얼마나 모순된 상황인가?

하지만 예수께서는 가야바의 바깥뜰에 서 있던 제자는 물론 도망간 제자들, 그를 죽이라던 자들까지 모두 품으셨다. "다 이루었다"고 하시며 숨을 거두시는 순간까지 십자가라는 인류 구원의 절차

를 묵묵히 마치신 것이다. 그 순간, 인간과 하나님
의 사이를 가로막던 죄의 담이 무너지듯 성소의 휘
장은 갈라졌고 하나님을 만나는 길이 새롭게 열렸
다. 이제 가야바의 바깥뜰과 안뜰은 하나가 되었고
예수께서 우리를 그 안뜰로 초청하고 계신다.

"내가 채찍에 맞았으니 너희의 고통스러운 질병
이 고침을 받았다. 내가 십자가에 달려 피 흘렸으
니 너희는 죄에서 자유를 얻었다. 영원한 사망에서
나와 이제 나에게 오라."

지금 우리는 주님 앞에 어떤 모습으로 서 있는
가? 가야바의 안뜰로 성큼성큼 들어가 주님을 부
둥켜안자. 주님의 고난과 죽음이 나로 인한 것임을
고백하며 주님의 살과 피를 마시자. 그렇게 해야
주님이 기뻐하시니 그렇게 하자.

넉넉히 이기리라

"예수 믿어서 행복하던 가정이 불행해졌다"며 우리를 핍박하는 사람들이 있다. 그것은 그동안 그 가정을 이끌어 가던 주인이 예수로 바뀌는 것이 두려워 소동을 벌이는 것이다.

말구유에서 태어난 예수가 무슨 힘이 있었는가? 그런데도 온 예루살렘과 유대 나라 전체가 소동을 벌였다. 그 이후로도 예수는 민중을 소란하게 하거나 폭동을 주동한 사실이 없는데도 왜 그렇게 사람들은 예수를 죽이려고 했던 것일까?

예수가 가는 곳곳마다 불의의 정체가 드러나기 때문이다. 거라사 지방의 귀신들린 자가 예수 앞에서 부들부들 떨면서 "지극히 높으신 하나님의 아들 예수여 나와 당신과 무슨 상관이 있나이까

원컨대 하나님 앞에 맹세하고 나를 괴롭게 마옵소
서"(막 5:7)라며 소동을 벌인 것도 그런 이유 때문
이다.

우리는 예수를 믿는다는 이유로 벌어지는 영적
싸움의 소동 앞에 담대해야 한다. 넉넉히 이기게
하시는 주님만 바라보아야 한다.

"누가 우리를 그리스도의 사랑에서 끊으리요 환
난이나 곤고나 핍박이나 기근이나 적신이나 위험
이나 칼이랴…그러나 이 모든 일에 우리를 사랑하
시는 이로 말미암아 우리가 넉넉히 이기느니라 내
가 확신하노니 사망이나 생명이나 천사들이나 권
세자들이나 현재 일이나 장래 일이나 능력이나 높
음이나 깊음이나 다른 아무 피조물이라도 우리를
우리 주 그리스도 예수 안에 있는 하나님의 사랑에
서 끊을 수 없으리라"(롬 8:35~39)

십자가는 성자 하나님이신 예수 그리스도께서 인간 앞에 무릎을 꿇고 매를 맞고 뺨을 맞으며 처절하게 죽임을 당하신 사건의 현장이다. 예수님께서는 그를 죽이기 위해 오는 자들을 향해 내가 기도하면 열두 영이나 되는 천사를 끌어내려 당장에 해치울 수 있지만 나는 참고 견딘다고 하셨다. 왜 그렇게 견디셨을까? 인류를 살리고자 하시는 그 진실함 하나 때문이다.

사람이 혈서를 쓰고 맹세하는 이유는 생명을 걸고 나의 진실을 인정해 달라는 것이다. 이처럼 십자가는 "나는 죽어도 좋다. 너만은 살아야지"라는 주님의 진실을 호소하는 혈서와 같은 것이다. 자기 심장을 터뜨리는 피보다 더한 진실이 있으랴! 누군가를 사랑하기 위해 대신 당하는 고통과 죽음보다 더 진실한 사랑이 있을까?

'십자가'는 고난의 상징이 아니다. 십자가는 예수님의 그 사랑을 가지라는 피 끓는 명령이요, 고난을 넘어선 사랑의 절정이다. 그 십자가가 과연 나에게 있는가? 예수님의 심정, 주님의 그 마음, 십자가의 사랑과 그 정신이 나에게 있는가? 우리의 사명은 고난이 아닌 사랑의 십자가를 지는 일이다. 주님이 나를 사랑하신 것처럼 나도 주님을 사랑하기 때문에 고난도 이기고 죽을 일이 있으면 죽으리라 결단하는 것이 사명이다.

주여, 예수님이 십자가 지고 날 위해 피 쏟아 죽으셨듯이 내게 맡긴 영혼들을 위하여 그 십자가 지고, 그 사명 감당하게 하소서!

부활과 십자가

만약 예수의 부활이 없으면 우리는 죄인을 믿고 있는 것이다. 지금도 빌라도 법정의 판결문에는 예수가 십자가에서 공개 처형을 당한 자로 기록되어 있다. 예수의 부활이 없다면 우리는 살인강도보다 더 흉악한 죄인으로 취급받던 신성을 모독한 죄인을 믿고 있는 것이다.

성경은 부활이 없는 믿음은 헛것이라고 하였다. 그런데도 오늘날 예수가 매달려 있는 형상의 십자가를 지니고 다니는 사람이 있다. 만약 지금까지 예수가 부활하지 못하고 십자가에 달려 있다면 누가 그 예수를 우리를 구원한 자라고 믿겠는가?

우리는 사망권세를 이기고 죽음에서 부활하신 예수를 믿어야 한다. 부활이 없으면 예수 이름은 우리에게 수치스럽고 불명예스러운 이름일 뿐이다. 예수님께서 십자가를 지실 때, 그가 당하는 저주와 불명예와 고통을 변호하는 자는 아무도 없었다. 그 길은 외로운 길이었다.

하지만 지금은 그렇지 않다. 예수님께서는 삼일 만에 부활하셨고 그 사실을 성령께서 증인들을 통해 사마리아와 땅끝까지 계속 증거하시기 때문이다. 성령은 부활의 소식을 전함으로써 죄인 취급을 받던 예수의 불명예를 벗기고 그가 하나님의 아들임을 확증하였다. 그렇기 때문에 우리는 예수를 나의 구주로 믿는 일이 자랑스러운 것이다.

부활하신 예수의 이름에는 능력이 있다. 우리는 그 이름으로 귀신을 쫓아내고 저주와 질병을 몰아내고 죄에서 죽음에서 자유할 수 있다. 부활하신 예수, 그 이름으로 사망권세를 이기고 영원히 자유하자.

거침없는 사랑

하나님의 사랑은 끝이 없고 거침이 없다. 예수
께서 제자들에게 "오직 성령이 너희에게 임하시면
너희가 권능을 받고 예루살렘과 온 유대와 사마리
아와 땅 끝까지 이르러 내 증인이 되리라 하시니
라"(행 1:8) 말씀하셨다. 그들이 마가 다락방에서
열흘 동안 오직 기도에만 힘쓸 때 성령이 충만히
임했고, 성령이 임하는 순간 그들은 예수를 잡아
죽이는 유대인들을 향해 복음을 들고 거침없이 나
아갔다.

"너희는 예수를 죄 있다 죽였으나 그는 죄가 없
는 자요, 하나님의 아들이다! 예수를 죽인 너희여,
그의 죽음이 너희 죄를 담당했으니 회개하고 성령
을 선물로 받으라!" 선포하며 하나님의 사랑을 적

극적으로 표현했다. 그러자 예수를 반대하던 자들이 제자들을 통해 뜨겁게 역사하시는 주님의 사랑 앞에 무릎을 꿇고 "어찌할꼬" 하며 하루에 2~3천 명씩 회개하고 돌아오는 역사가 일어났다.

이렇듯 복음 전도는 하나님의 사랑의 최절정의 표현이다. 우리의 힘으로는 사랑할 수 없지만, 사랑이신 주님께서 우리 안에 성령으로 오셔서 사랑의 본질과 사랑의 힘을 주시고 하나님의 성품을 나타내시며 역사하실 때에 가능한 것이다. 성령 강림의 사건은 인간 개개인의 심령 속에 거룩하신 하나님의 영이 임하심으로 인간을 최상의 수준으로 대우하신 사랑이요, 복음의 소식이 모든 인류에게 거침없이 확장되어진 사랑의 소식이다.

요즘 같은 정보화, 고학력 시대에 목사로서 다양한 계층의 사람들의 공감을 얻을 수 있는 설교를 한다는 것은 정말 어려운 일이다.

그럴 때마다 나는 사도 바울을 생각한다. 바울은 당대 최고의 지성인이었다. 그는 자신이 가진 지식과 배경으로 복음을 전하면 더 설득력이 있을 것이라 생각했는지 하나님을 전혀 알지 못하는 아덴이라는 도시에서 그곳의 철학자들과 쟁론하면서 복음을 전했다. 그 결과, 아덴 사람들은 회개하기는커녕 바울을 말쟁이로 여겼다. 결국 바울은 아덴에서 단 하나의 교회도 세우지 못하고 참패하고 말았다. 그런 뼈저린 실패 후에 바울은 이렇게 고백한다.

"내가 너희 중에서 예수 그리스도와 그의 십자가에 못 박히신 것 외에는 아무 것도 알지 아니하기로 작정하였음이라"(고전 2:2)

바울은 그 이후로 그가 가진 것들을 마치 배설물처럼 여기고 예수만을 전했다. 오직 예수의 피를 말할 때 하나님께서 관심을 가지시고, 오직 예수의 피를 말할 때 하나님께서 제한 없이 일하신다는 것을 깨달았던 것이다.

그렇다. 목사로서, 아니 한 그리스도인으로서 내가 사람들에게 줄 수 있는 것이 예수밖에 없어야 한다. 예수님께서 내 죄를 위해 십자가에서 고난당하시고 죽으시고 부활하셨다는 이 진실만을 전하는 것이 내가 해야 할 일이다.

주여, 죽을 때까지 성령으로 예수만 말하게 하소서! 성령으로 예수만 드러내게 하소서!

주님 사랑의 힘으로

주님을 사랑한다는 것이 그냥 감정적으로 "주님을 사랑합니다"라고 해서 되는 것은 아니다. 하나님의 말씀은 무엇이든 옳다, 내게 어떤 손해가 와도 맞다, 그 말씀은 나를 사랑하는 말씀이라고 인정하는 것, 그분의 마음을 아프시게 하지 않고 기쁘시게 해 드리는 것, 그분의 말씀에 동의하여 그분의 뜻을 따라가는 것이 주님을 사랑하는 것이다.

주님을 사랑하는 마음만이 세상을 이길 수 있는 가장 큰 힘이다. 주님께서도 "내가 아버지를 사랑한 것같이, 나도 너희를 사랑하니 너희도 나를 사랑하라"고 하셨다. 우리가 하나님의 계명을 지키는 것도, 주를 위해 목숨도 아끼지 않는 순교의 믿음을 가질 수 있는 것도 주님께서 우리를 사랑하셨기에 가능한 것이다. 주님과의 사랑이 끊어지면 신 앙생활에 좌절이 온다. 주님과 사랑이 불탈 때는 무슨 일이든 기도하면 즉각 될 것 같지만 그렇지 않으면 다른 방법을 택하게 되는 것이다.

성령 충만으로 주님과의 사랑만 회복되면 충성 도, 전도도, 기도도 회복된다. 주님을 사랑하는 힘 이 모든 것을 초월할 능력이요, 세상을 이길 믿음 이다.

"하나님을 사랑하는 것은 이것이니 우리가 그의 계명들을 지키는 것이라 그의 계명들은 무거운 것 이 아니로다 대저 하나님께로서 난 자마다 세상을 이기느니라 세상을 이긴 이김은 이것이니 우리의 믿음이니라"(요일 5:3~4)

포기하지 않는 믿음

어떤 경우에도 자식을 포기하지 못하는 것이 부모의 심정이다. 그러나 아무리 해도 부모의 뜻대로 더 이상 해볼 수 없을 때 포기 아닌 포기를 하게 된다. 마음속으로는 절대 포기하지 못하면서 말이다.

하나님의 심정도 마찬가지이다. 하나님 말씀을 절대적인 명령으로 알고 그 말씀대로 살지 못하는 부분들이 죄라는 것을 깊이 인식하는 결사적인 각오를 갖지 못한다면 하나님께서도 그 한계 이상은 포기하실 수밖에 없다.

하나님의 말씀은 취사선택이 불가능하다. 그 말씀대로 순종하는 것이 최상의 길이다. 그런데 인간은 본질상 하나님의 뜻대로 사는 것이 불가능하다. 오직 성령께서 나를 그렇게 만들어 주셔야 가능하다. 그러므로 내가 포기하지 않는 한 하나님은 나를 포기하지 않으신다.

어떤 상황에서도 하나님과의 접촉점을 놓쳐서는 안 되고 내 스스로 한계를 정하여 포기해서도 안 된다. 그러다 보니 조금만 흔들려도 '내가 이러면 큰일 나지', '하나님이 나를 버리면 어떻게 하나' 하며 노심초사하는 모습이 인간적으로는 불편하게 보일 수 있다. 그러나 하나님 앞에서 방종하며 사는 것에 비하면 얼마나 다행한 일인가.

나는 죽는 그날까지 하나님을 향한 나의 믿음을 포기할 수 없다. 하나님께서 죄로 인해 죽을 수밖에 없는 나를 위해 아들을 죽이면서까지 그 사랑을 포기하지 않으셨기 때문이다.

하나님의 큰 잔치

하나님의 사랑의 열심은 끊임없이 그분의 사랑의 자리에 우리를 초대함에 있다. 하나님은 우리를 강권해서라도 그 자리를 채우고 싶어 하시고, 밖에서 문을 두드려서라도 마음의 문을 열기 바라시고, 아버지의 품을 떠난 아들이 돌아오기를 기다리는 간절한 아비의 심정으로 한 사람이라도 더 초대하기를 원하신다.

하나님의 사랑은 그의 아들 예수 그리스도를 십자가에 죽게 하심으로 모든 인류를 구원의 자리로 초대하셨다. 오늘날과 같은 강퍅한 세상의 한가운데에서 누군가가 나를 죽기까지 사랑했다는 것은 충격적인 사건이며, 보잘것없는 나를 위한 그 사랑의 주체가 천지를 지으시고 모든 만물의 주관자 되시는 하나님이라는 것 역시 또 한번의 충격이 아닐 수 없다.

또한 그 사랑으로 영원한 죄와 저주와 질병에서 자유함을 얻었다는 것, 내가 바로 이 사랑을 받기 위해 태어났으며 하나님이 나를 강권하여 부르셨다는 것이 그저 놀라울 뿐이다.

"예수 믿으세요"라는 이 한마디는 하나님이 친히 준비하신 천국 잔치에 초청하는 소리이며, 영원한 천국과 지옥을 판가름하는 선포의 소리이며, 잠자는 영혼을 흔들어 깨우는 소리이다. 이 사랑의 목소리 앞에, 하나님의 사랑의 열심 앞에 날마다 감사하며 전도하는 삶을 살아야 할 것이다.

예수 믿으세요

믿지 않는 사람들에게 "예수 믿으세요"라고 하면 거의 모든 사람이 교회에 다니라는 말로 듣는다. 교회에 다닌다고 해서 예수를 믿는 것은 아니다. 책가방 들고 교회에는 왔다 갔다 하지만 예수를 사대성인의 한 사람 정도로 알고 그저 교회에 열심히만 다니면 구원받는 줄 아는, '지성이면 감천'의 믿음을 가진 종교인들이 의외로 많기 때문이다.

그러나 교회가 그리스도의 몸이라면 교회에 다니는 것이 곧 예수를 믿는 것이 되어야 함이 옳다. 예수 믿는 것과 교회 다니는 것의 의미가 달라진 것에 대한 책임은 그만큼 교회가 예수를 보여 주지 못했기 때문이다. 교회를 찾았던 사람들이 예수 빠진 설교에 매력을 느끼지 못했을 것이고, 세상이 해결할 수 없는 문제를 가지고 왔으나 해결받지 못한 실망감으로 등을 돌렸을 수도 있다.

교회는 세상이 주지 못하는 예수를 주어야 한다. 예수로 구원받고 그 사랑 앞에 감격의 기쁨이 넘쳐야 하고, 병든 자가 치유받고, 악한 영이 떠나가고, 앉은뱅이가 일어나고 눈먼 자가 눈을 뜨고 죽은 자가 살아나는 예수의 능력 앞에 압도당하게 해야 한다. "예수를 만나려면 교회에 와 보세요"라고 자신 있게 외칠 수 있는 능력이 교회 안에 있어야 한다.

'예수 믿으세요' 라는 말보다 '교회에 와서 예수를 만나세요' 라는 말이 더 설득력 있는 날이 왔으면 한다.

하나님을 사랑한다는 것

하나님을 향한 나의 사랑보다 비교할 수 없을 만큼 큰 것이 나를 향한 하나님의 사랑이다. 그 사랑의 차이는 내가 최악의 상황에 부딪힐 때 금방 드러난다. 신앙생활에 허탈감을 느끼고, 마음 상하는 일로 사소한 감정에 얽매일 때, 내가 사랑이라고 믿던 것들이 얼마나 초라한 것인지를 발견하기 때문이다.

그러므로 나를 향한 주님 사랑의 넓이와 크기를 내가 알고 소유할 때만이 나도 하나님을 사랑할 수 있다. 과연 그 사랑이란 무엇인가? 예수님께서 친히 육신을 입고 오셔서 홍포를 입고 뺨을 맞으며 침 뱉음을 당하고 조롱을 당하고, 모진 매를 맞으며 십자가를 지고 골고다에 올라 죽으심으로 나의 고난과 죽음을 담당하신 보배로운 피의 사랑이다. 최악의 상황인 죽음도 주저하지 않으신 위대한 사랑이다.

그 사랑만으로도 감당키 어려운데 하나님의 사랑은 그것으로 끝나지 않는다. 그 피의 은혜를 아는 나에게 또다시 하나님의 큰일, 복음전도의 사명을 믿고 맡겨 주셨다. 이 사랑을 맛보고 경험한 자는 '나를 사랑하신 주님을 실망시킨다면 어찌 내가 사람이랴! 나는 주님 앞에 비겁할 수 없다. 나는 의리를 지키리라!' 는 고백과 감사로 하나님을 사랑할 수 있다. 이 사랑만 있다면 우리는 모든 어려움을 이겨낼 수 있고 주님 앞에 조금이나마 당당히 설 수 있는 것이다.

하나님의 특성을 가진 자

사람은 누구나 태어나고 자란 지방의 고유한 기질과 특성을 가지고 살게 된다. 사람은 어떤 곳에서 누구로부터 영향을 받느냐가 중요한 것이다.

본질적으로 사람은 하나님의 형상과 모양대로 창조되었기에 하나님의 특성을 가지고 태어났다. 하나님의 사랑과 은혜, 하나님의 축복이라는 영향권을 벗어나서는 살 수 없는 특별한 존재가 바로 인간이다. 그런데 인간은 죄를 범함으로 말미암아 하나님을 떠났으니 그 때부터 하나님의 특성이 아닌 죄의 특성으로 꽉 차게 된 것이다.

이런 인간을 하나님께서는 버리지 않고 사랑하셔서 하나님의 특성으로 다시 살 수 있게 하셨다. 하나님의 아들 예수 그리스도를 보내셔서 우리의 질병과 저주와 죽음을 십자가로 담당하게 하시고 우리를 자녀 삼으신 것이다. 또한 성령을 보내 주셔서 그 특성이 영원히 변치 않도록 인치시고 보증하셨다.

지금도 여전히 우리에게 '내 살과 피를 먹으라'고 하시면서 믿는 우리가 하나님의 특성으로 살기를 원하시고 모든 사람이 하나님의 특성을 되찾기를 원하신다. 우리는 이제부터 내 안에서 말씀의 특성, 예수의 특성, 성령의 특성만이 제한 없이 나타나게 해야 한다. 그리스도의 편지처럼, 그리스도의 향기처럼, 빛과 소금처럼 변함없이 그 특성을 드러내는 삶을 살아야 한다.

율법과 복음의 조화

간음한 현장에서 붙잡힌 한 여인이 예수 앞에 끌려왔다. 율법은 간음한 여인을 돌로 쳐 죽이라고 했다. 율법대로라면 당장 돌로 쳐 죽여야 하는데, 예수께서 율법대로 죽이라고 하면 '살인하지 말라'는 또 다른 율법을 범하게 된다. 진퇴양난이다. 한 여인의 삶과 죽음이 예수의 입술에 달려 있는 절박한 상황이었다.

그때 예수께서는 "너희 중에 죄 없는 자가 먼저 돌로 치라"(요 8:7)고 말씀하셨다. 잠시 침묵이 흐르고 돌을 들었던 사람들이 양심의 가책을 느끼고 돌을 버리고 하나둘씩 그 자리를 떠나갔다. 예수께서는 그 여인에게 "나도 너를 정죄하지 아니하노니 가서 다시는 죄를 범치 말라"(요 8:11)고 말씀하셨다.

이처럼 간음한 여인을 예수 앞에 끌어오는 것까지가 율법이 하는 일이며 한계이다. 그 율법의 정죄에서 나를 구원하여 자유를 주시는 분은 예수이시다. 그러므로 우리는 율법으로 죄를 발견하고, 그 죄를 가지고 예수께 나아가 죄 사함을 받아야 한다. 이것이 바로 율법과 복음의 조화이다.

율법 안에서는 하나님의 진노에 대한 두려움으로 살지만 복음 안에서는 죄 사함의 기쁨과 자유, 그리고 그 은혜에 대한 감사로 산다. "내가 율법이나 선지자나 폐하러 온 줄로 생각지 말라 폐하러 온 것이 아니요 완전케 하려 함이로라"(마 5:17) 하신 말씀처럼 예수만이 율법의 완성자이시다. 우리는 그 예수를 믿기에 영원히 행복한 자이다.

구령의 열정

우리 교회를 한마디로 소개하라고 하면 '오직 기도와 말씀과 영혼을 사랑하는 구령의 열정, 영혼의 때를 위한 성도들의 아낌없는 충성으로 이루어진 교회'라고 말할 것이다. 그 중에서도 나는 '구령의 열정'을 최고로 꼽을 것이다. 예수 그리스도께서 이 땅에 오신 목적도, 교회의 존재 이유도 바로 영혼 구원이며, 이 일을 위해 하나님의 아들 예수 그리스도는 목숨을 내놓았기 때문이다. 십자가의 죽음이라는 아버지의 뜻을 이루기 위해 숨통을 조여 오는 죽음의 길을 걸어야만 하는 절박한 상황, 그러나 자신의 죽음이 곧 인간을 향한 하나님 아버지의 유일한 사랑임을 아셨기에 주님께서는 기쁨으로 이렇게 외치셨으리라.

"지금 내딛는 나의 이 발걸음은 영원한 형벌을
향한 너희들의 절망적인 죽음의 행렬에 종지부를
찍을 것이요, 내 어깨를 짓누르는 십자가의 무게는
니희가 지고 가야만 하는 모든 고통의 짐을 대신할
것이다. 퍼부어대는 조롱과 비난의 소리가 들리는
가? 이제 이 소리는 너희의 축복으로, 감사와 찬양
으로 바뀔 것이며, 내 살을 파고드는 모진 채찍의
아픔은 질병으로 인한 너희의 모든 고통과 상처를
대신할 것이다. 나의 살과 피는 너희의 영원한 양
식이 될 것이다."

죽음과 고난 속에서 불꽃처럼 타올랐던 주님의
구령의 열정에 압도당하지 않을 자 누가 있으랴!
이 구령의 열정이 우리 교회에 흐르는 거대한 생명
의 물줄기가 되기를 원한다.

주여, 구령의 열정으로 뜨겁게 하소서!

예수를 만나라

예수 그리스도는 육신을 입고 이 땅에 오셔서

인간이 당해야 하는 모든 고통의 원인인

죄를 담당하시고 십자가에 죽으심으로

대속의 은혜를 베푸셨다.

아담이 영원히 멸망 받아야 할 죄를

예수가 담당하는 순간 자유하게 된 것이니(요 8:31~32),

첫 아담의 죄와 저주와 질병을

둘째 아담인 예수가 그 육체에 담당함으로써

첫 아담에게 죄에서 자유함을 주신 것이다.

우리의 믿음은 예수 그리스도로 주신 것을

소유하는 것이요, 체험하는 것이니,

이것이 믿음의 증거이다.

예배는 하나님을 뵙는 최고의 행위이니

병든 자도, 악한 영에 매인 자도

어떠한 고통에 시달리는 자라도

예수를 만나는 것이다.

맹목적으로 만나는 것이 아니요,

예수 그리스도에게 불가능을 내놓는 것이다.

예수 그리스도는 예배 속에서

우리를 만나기를 원하신다.

누구든지 오늘 지금 예수 그리스도에게

짐을 내어놓고 당장에 해결 받고 자유하라!

예수 그리스도를 만나는 자는

땅에서 속죄의 은총을 입고

하늘에서는 영생을 얻는 것이니

예수 그리스도는 이것을 주시러 오신 것이다(요 3:16).

땅에서는 육체의 치료와 기도의 응답을 통하여

언제나 우리를 돕고 계시니

믿음 있는 자만이 소유할 기업인 것이다.

윤석전 저, 〈예수로 주신 생명〉 중에서

Part IV
영원토록 내 할 말, 예수

이 책이 나오기까지
모든 과정을 인도하신 하나님께
모든 영광과 감사를 올려 드립니다.
이 책을 통하여 예수 그리스도의 복음이
더욱 왕성히 전해지길 기도하며
책을 읽는 모든 독자들의 가정과 교회 위에
하나님의 축복이 항상 넘치기를 바랍니다.
할렐루야!